Ingeborg Engelhardt

KU-071-098

Hexen in der Stadt

Deutscher Taschenbuch Verlag

Zu diesem Band gibt es ein Unterrichtsmodell,
enthalten in LESEN IN DER SCHULE (Sekundarstufen),
unter der Bestellnummer 8102
durch den Buchhandel oder den Verlag zu beziehen.

Bearbeitete Neuausgabe
nach den Regeln der Rechtschreibreform
23. Auflage April 2000
1975 Deutscher Taschenbuch Verlag GmbH & Co. KG,
München
© 1971 Union Verlag, München
ISBN 3-8002-5074-8
Umschlaggestaltung: Jorge Schmidt und Tabea Dietrich
Umschlagbild: Tilman Michalski
Gesetzt aus der Garamond Monotype 11/12,5˙
(Diacos, Barco Optics 300 Q)
Gesamtherstellung: Ebner Ulm
Printed in Germany · ISBN 3-423-07196-6
dtv junior im Internet: www.dtvjunior.de

Ich will nun etwas sagen, das alle hören sollen, die Ohren haben zu hören. Man erfinde absichtlich irgendein grässliches Verbrechen, von dem das Volk Schaden befürchtet. Man verbreite ein Gerücht darüber und lasse die Gerichte dagegen einschreiten mit denselben Mitteln, wie sie jetzt gegen das Hexenunwesen angewandt werden. Ich verspreche, dass ich mich der allerhöchsten Obrigkeit stellen und lebend ins Feuer geworfen werden will, wenn es nach kurzer Zeit in Deutschland nicht ebenso viele dieses Verbrechens Schuldige geben sollte, wie es jetzt der Magie Schuldige gibt.

Friedrich von Spee
›Cautio criminalis‹ 1631

Einführung

Hexenprozesse von der Art, wie sie in diesem Buch geschildert werden, gab es im Mittelalter noch nicht. Sie kamen seltsamerweise erst zu Beginn der Neuzeit auf, steigerten sich an Umfang und Furchtbarkeit und erreichten ihren Höhepunkt im 17. Jahrhundert. Zur gleichen Zeit entwickelte sich die moderne Naturwissenschaft, lehrte die Aufklärung die Menschen eine ganz neue Art zu denken. Wie war ein solcher Zwiespalt möglich?

Von alters her hatte man in Europa, wie überall in der Welt, an Hexen geglaubt und ihre Künste ebenso gefürchtet wie gesucht. Bestraft aber wurden sie nur dann, wenn sie vermeintlich Schaden angerichtet hatten, und auch dann oft noch milde. So war es im »finsteren Mittelalter« gewesen. Im Morgengrauen der Neuzeit änderte sich das plötzlich.

Eine der Ursachen war, dass im Jahre 1487 mit Hilfe der eben erfundenen Buchdruckerkunst der ›Malleus maleficarum‹ veröffentlicht wurde, der berüchtigte ›Hexenhammer‹, den zwei deutsche Dominikaner als Anleitung zur Ausrottung des Hexengesindels verfasst hatten. Es war das Machwerk einer wahnsinnigen Fantasie, die den ganzen Gräuel des Hexenwesens und der Hexenverfolgungen eigentlich erst schuf, indem sie verworrene Vorstellungen finstersten Aberglaubens in eine Art von System brachte. Dennoch hat das Buch zweieinhalb Jahrhunderte lang seine unheilvolle Wirkung, auch auf kluge, gebildete Männer, ausgeübt und Massenprozesse von nie gekanntem Ausmaß hervorgerufen. Diese Wirkung wäre nicht möglich gewesen, wenn nicht hinter dem Hexenaberglauben eine noch viel größere Angst die Menschen jener Zeit gejagt hätte. Sie entsprang einer tiefen Unsicherheit gegenüber der verwandelten, in geistiger wie in geographischer Hinsicht neu erforschten, neu gesehenen Welt. Alles, was dumpf und dunkel, nicht erst seit dem Mittelalter, sondern schon von Urzeiten her im Grund der menschlichen Seele lebte, lehnte sich auf gegen das allzu helle Licht der anbrechenden Neuzeit. Noch lange blieb der Mut der wenigen vergeblich, die sich, oft unter Einsatz ihres Lebens, dem Massenwahn entgegenstellten.

Ein solcher Fall ist Gegenstand dieses Buches. Die Ereignisse selbst, Schauplätze, Daten und viele der Personen sind historisch. Der Fall ist leider nicht der Einzige. Aber zwei Dokumente vor allem waren es, die gerade auf ihn und auf diese Stadt hinwiesen. Das erste war ein ›*Verzeichnis der Hexenleut, so mit dem Schwert gerichtet und hernacher verbrannt worden*‹, das offenbar als private Aufzeichnung »*in einem Taschenbüchlein*« die Jahrhunderte überdauert hat. Es packt durch seine Lebensnähe, wie ein Blick mitten in den Alltag der geängstigten Stadt. In der ›*Chronik des Malefizschreibers*‹ ist es fast vollständig wiedergegeben. Das zweite Dokument könnte sehr wohl mit den Ereignissen gerade in dieser Stadt zusammenhängen und man hat das lange Zeit geglaubt. Heute weiß man es anders. Aber das ist nicht wichtig bei der Bedeutung dieses Werks für die ganze Frage. Es ist die berühmte ›*Cautio criminalis*‹ des Jesuitenpaters Friedrich von Spee, die er gerade in jenen Jahren gegen die Hexenprozesse schrieb. Er beruft sich darin auf eigene Erfahrungen als Hexenbeichtiger. Das gibt seinem Buch die unmittelbare Überzeugungskraft. Es wurde eines der bahnbrechenden Werke gegen den Hexenwahn. Die Abschnitte ›*Aus dem Gewissensbuch des Paters Friedrich*‹ sind wörtlich daraus entnommen. Spee selbst wurde als »Pater Friedrich« eine Hauptgestalt des Buches. Seine – erdachten – Briefe an den väterlichen Freund sind aus Wortlaut und Gedanken der ›*Cautio*‹ entwickelt. Sie zeigen seinen Weg vom gläubig gehorsamen Priester zum Kämpfer gegen Wahn und Unrecht. Diese Wandlung muss sich einmal in ihm vollzogen haben und sie könnte so gewesen sein, wie sie hier geschildert wird.

Der Name der Stadt wird absichtlich nicht genannt, denn er ist unwichtig. Es kam nicht darauf an, eine Kuriosität aus der Ortsgeschichte möglichst aktengetreu zu schildern, sondern das zeitlos Gültige, das bis in unsere Gegenwart hinein Wiederholbare der Ereignisse hervorzuheben.

Denn die letze Hexe Europas wurde erst 1782 in Glarus gerichtlich verurteilt und enthauptet. Noch vor einem Menschenalter hat man mitten unter uns Tausende von Männern, Frauen und Kindern einem anderen Massenwahn geopfert. Hat sich wirklich so viel geändert in dreihundert Jahren? Die

Notwendigkeit zu offenem Bekenntnis und mutigem Kampf gegen Unmenschlichkeit ist immer noch die gleiche.

Ingeborg Engelhardt

Der Erlass

1

In einer der armseligen Hütten der nördlichen Vorstadt, die mit ihren Höfen und Ziegenställen bis an
den Rand der Weinberge hinaufkletterten, schrie in
der Nacht ein Kind auf und fing an jämmerlich und
anhaltend zu weinen. Die Mutter stand, als das Zerren am Wiegenband nichts half, endlich auf um den
kleinen Schreihals unter sanftem Schütteln und Lied-
chensummen in der Stube herumzutragen, wie es
von alters her bewährt ist bei solchen Anfällen von
nächtlichem Aufschrecken, Zahn- oder Bauchweh.
Der Rücken schmerzte der jungen Frau von der
schweren Arbeit in den Weinbergen, die Kälte der
Mainacht durchschauerte die bloßen Füße auf dem
Lehmestrich und den Körper im groben Hemd.
Aber ihr blieb nichts anderes übrig, sollte nicht das
ganze Haus und die Nachbarschaft aus dem Schlaf
geschrien werden. So schlich sie weiter auf und ab
mit ihrem Eiapopeia.

Nach einer Weile wunderte sie sich, wie hell es von
draußen hereinschimmerte durch die fadenscheinige
Leinwand, die vor dem Fenster hing. Sie hob das
Tuch beiseite und schrak zurück vor der leuchtenden
Pracht, die draußen über Hügel, Stadt und Strom
ausgebreitet war. Hellgrün strahlte der Himmel mit
dem grellweißen Mond hoch oben darin, der noch
nicht ganz voll war, ein schiefes, böses Gesicht, je-

11

doch so hell, dass die Weinstöcke lange, schwarze Schatten über den Boden warfen. Der aber und auch die krausen Reben an ihren Pfählen glänzten silbern wie verzaubert. Ja, verzaubert und verhext musste die ganze Welt sein zu dieser Nachtstunde. Es tat nicht gut, aus dem Fenster zu sehen.

Die Frau schob das Tuch rasch wieder vor, schauderte zusammen, legte das Kind, das eingeschlafen war, in die Wiege zurück und schlüpfte ins Bett, sich zu wärmen und den Kopf tief unter das Federbett zu stecken.

Ein paar Stunden später wurde es Tag, ein leuchtend klarer Maimorgen, nur kälter als sonst um diese Jahreszeit. Als die Frau die Haustür öffnete, schrie sie laut auf. Der gleiche Schrei ertönte um dieselbe Zeit vor vielen Hütten dort oben am Rand der Weinberge, bald auch auf den Gassen und aus den Fenstern der Stadt. Jeder, der einen Blick auf die Weinberge tat, die rings im Kranz die Stadt umgaben, stieß ihn aus oder sprach ein Stoßgebet. Wo gestern noch junges Rebengrün geleuchtet hatte, hing das Laub schwarz wie versengt von den Ranken, vernichtet von einem Nachtfrost, wie er sich so spät im Jahr seit Menschengedenken nicht begeben hatte: an einem 27. Mai. Auch das Korn, das schon in Blüte gestanden hatte, war erfroren und eine Missernte gewiss, noch schlimmer als in den letzten beiden Sommern. Wer hatte das verschuldet? Wie hatten die Unholden und Hexen so viel Macht gewinnen können? Warum hinderte sie niemand? Wo blieb des Bischofs geistliche und weltliche Macht?

Indessen war Bischof Philipp Adolf durchaus

nicht müßig gewesen in dieser wichtigen Frage. Schon früh hatte er die Zeichen richtig erkannt und seit seiner Inthronisierung vor vier Jahren schon manchen Scheiterhaufen in Brand gesetzt. Ständig lagen ein paar der Hexerei verdächtigte Personen im Gefängnis. Denn Fürstliche Gnaden hegten gegen das Gelichter eine alte, wohl begründete Feindschaft, deren Ursache nur er selbst kannte. Er hasste Hexen geradezu, aus dem gleichen Grund, aus dem manche Menschen noch im reifen Alter ein Schreckbild ihrer Jugend, einen bösen Lehrer oder eine Stiefmutter verabscheuen, ohne Vernunft, aber desto unversöhnlicher. Angesichts des allgemeinen Elends aber sah er ein, dass die lässliche Betätigung seines Hasses nicht genügte. Die Sache musste anders, viel schärfer und planvoller angefasst, ein regelrechter Krieg gegen das Höllengesindel entfesselt werden, das ja selbst in einer teuflischen Verschwörung verbunden war gegen Wohlstand und Gedeihen dieses Landes, ja, gegen die ganze Christenheit, wenn man gewissen Aussagen glauben durfte.

Zu einem solchen Krieg war der Bischof nunmehr auch fest entschlossen und beauftragte seinen Kanzler, den hervorragenden Juristen Doktor Johannes Brandt – er hieß wirklich so! – einen Erlass auszuarbeiten, in dem Seiner Fürstlichen Gnaden unumstößlicher Wille, das Laster aller Laster gründlich auszurotten, allen Richtern und Amtsleuten kundgetan werden sollte. Zugleich sollte darin noch eine andere Maßnahme dargelegt werden, die dem weltlichen Nutzen des Stifts diente, die der Kanzler aber als heikel und schwer durchzuführen ansah. Er war indessen ein treuer Diener seines Herrn und versuchte das Unmögliche. Am Nachmittag des 10. Juni, während nach einem kurzen Ausbruch sommerlicher Hitze ein schweres Gewitter heraufzog, ließ er sich zur Burg hinauffahren um den Erlass zur Unterschrift vorzulegen.

Um die gleiche Stunde wurden dem Bischof zwei Besuche gemeldet, ein bestellter, längst mit Ungeduld erwarteter und ein unerwarteter, unerwünschter. Der erwartete war ein gewisser Pater Friedrich, der dem Bischof auf sein Ersuchen von weit her geschickt worden war um an der künftigen Unzahl von armen Sündern das Amt des Beichtigers zu versehen. Der örtlichen Geistlichkeit konnte diese zusätzliche Arbeit nicht zugemutet werden. Auch schien es angebracht, eine so heikle Aufgabe eher einem Priester anzuvertrauen, der fremd im Ort und nicht in Parteilichkeit befangen war. Pater Friedrich war als eine in jeder Hinsicht geeignete Persönlichkeit empfohlen worden, eine junge Leuchte seines Ordens, in der Seelsorge wie in missionarischer Beredsamkeit wohl bewährt, dazu außergewöhnlich klug. Er war, obwohl man ihn schon seit Wochen erwartete, erst am heutigen Mittag in der Stadt eingetroffen und sogleich auf die Burg befohlen worden.

Mit ihm zugleich meldete der Diener den anderen Besuch, den unerwarteten, unerwünschten: eine Frau. Sie hatte offenbar unter dem Schutz des Paters sich Einlass zu verschaffen gewusst und verlangte dringend vorgelassen zu werden. Der Bischof runzelte die Stirn und setzte zu einer zornigen Zurechtweisung an. Hatte er nicht erst neuerdings streng ver-

boten Bittsteller und ganz besonders Bittstellerinne.
zu ihm zu lassen, außer wenn sie durch vertrauens-
würdige Personen empfohlen waren? Er wusste wohl
warum! Aber der Diener, sein alter Mathias, blinzelte
schlau und flüsterte: »Es ist die Reutterin, die Frau
vom Doktor, Ihr wisst schon!«

Der Bischof schloss den schon geöffneten Mund,
die zornige Zurechtweisung unterblieb. Selbst der
Diener Mathias, der seinen Herrn von Kind auf
kannte wie kein anderer, fand, dass Seine Fürstliche
Gnaden in diesem Augenblick fast töricht aussahen,
so sehr verschlug Ihnen das Staunen Worte und Gedanken. Dann, schnell gefasst, befahl der Bischof:
»Sie mag warten. Zuerst den Pater!«

Der trat ein, noch jung, hoch gewachsen, mit
durchdringenden dunklen Augen. Diese Augen, obgleich sie nichts anderes ausdrückten als ehrerbietige
Aufmerksamkeit, wie es sich gehörte, waren dem Bischof unbehaglich. Ja, sie nahmen ihn gegen den
Pater ein und er rügte ihn erst einmal wegen seiner
verspäteten Ankunft und dann wegen der Unverfro-
renheit bei seiner ersten Audienz eine fremde Frau-
ensperson mit einzuschmuggeln. Was er sich nur
dabei gedacht habe? Es beständen strenge Vorschrif-
ten, die er sich gefälligst zu Eigen machen möge.

Pater Friedrich rechtfertigte sich in bescheidenem
Ton. Seine Reise durch das von Kriegsvölkern
durchstreifte Land sei außergewöhnlich gefahrvoll
gewesen. Er habe manchen Umweg machen müssen.
Auch sei der Mitbruder, der ihn begleitet habe, unterwegs an der Pest erkrankt, so dass er ihn tagelang
habe pflegen, zuletzt aber doch begraben müssen.

Was die Frau angehe, so habe er nicht geglaubt einen Verstoß zu begehen, als er sie auf ihre flehentliche Bitte mit sich in den Bischofspalast genommen hatte. In Zukunft werde er vorsichtiger sein.

Diese bescheidene Antwort stimmte den Bischof etwas gnädiger. Er fragte den Pater nach seinen Erfahrungen mit Hexen und erfuhr, dass sie gering seien. »Nun, Ihr werdet das Nötige bald lernen«, meinte er und deutete an, was nicht nur der geistliche Oberhirt, sondern auch die Justiz von einem pflichtbewussten Hexenbeichtiger erwarte.

Aber der Pater Friedrich war trotz seiner ausdrücklich gerühmten Klugheit offenbar schwer von Begriff. Seine dunklen Augen blickten zweifelnd vom Bischof zum Kanzler, als er fragte: »Ich verstehe nicht recht – was hat der Beichtiger mit der Justiz zu tun?«

Philipp Adolf, schon wieder ungeduldig, verwies ihn an den Kanzler, der ihn anhand der Prozessakten in seine Aufgabe einführen werde. Denn unverzüglich müsse mit der Arbeit begonnen werden. Auf heut in einer Woche sei der erste Hexenbrand angesetzt und die Zahl der Verhafteten wachse täglich. Der Kapuziner Petri Kettenfeier schaffe es allein nicht mehr.

Während Doktor Brandt den Pater in eine der Fensternischen führte, wo auf einem langen Tisch Akten gehäuft lagen, gab der Bischof dem Diener einen Wink, auf den der anscheinend schon gelauert hatte. Die Tür ging auf und die Frau trat ein. Sie verneigte sich tief mit rauschenden Röcken, nahe an der Tür und dann noch einmal vor dem Bischof, als sie

16

den gnädig dargereichten Ring küsste. Dann stand sie wieder aufrecht, eine leichte, anmutige Gestalt von unbestimmtem Alter, im schwarzen Kirchenkleid der Bürgersfrauen, mit Haube und Halskrause aus feinem Leinen – eine aus der Stadt, eine von Hunderten. Was war Besonderes an ihr, dass der Bischof sie erst nicht hatte vorlassen wollen und es jetzt doch tat? Warum starrte er sie so an? Aber Seine Fürstlichen Gnaden hatten sich schon gefasst und fragten huldvoll nach dem Doktor Reutter, dem die Stadt während der Pestzeit so viel zu danken gehabt habe. »Und Sie, Reutterin, soll ihm ja brav zur Hand gegangen sein. Hat Sie denn keine Angst vor der Ansteckung gehabt? Sie hat doch Kinder im Hause, höre ich.«

»Drei Töchter, Fürstliche Gnaden«, erwiderte die Frau unbefangen. »Aber sie sind schon groß, die eine ist an einen Ratsherrn verheiratet. Ja, ich bin schon Großmutter.« Sie lachte ein wenig und fuhr fort: Angst vor Ansteckung habe sie nicht gehabt. Ihr Mann sage immer, das sei der sicherste Weg krank zu werden. Auch habe er gute Mittel dagegen gewusst. Da hörte man's wieder! Der Diener Mathias versuchte einen viel sagenden Blick mit dem Kanzler zu tauschen, aber das gelang nicht. Indessen fragte der Bischof, weiterhin äußerst gnädig, was denn die Reutterin so dringend von ihm wünsche, dass sie wieder sein strenges Verbot hier eingedrungen sei. »Denn ohne Ihre und Ihres Gatten hohe Verdienste hätte ich Sie niemals vorgelassen, das weiß Sie wohl!«

Da legte sie die Hände gegeneinander und sagte hell, ganz ohne Scheu und laut genug, dass jeder im

Saal sie verstand: »Erbarmen, Fürstliche Gnaden, für die armen Hexen in dieser Stadt!«

Ein furchtbares Schweigen folgte den Worten. Die vier Männer starrten sie an, die so Ungeheuerliches gewagt hatte: lauernd der Diener, der Kanzler, der erfahrene Hexenrichter, mit drohendem Geierblick, der Bischof mit undeutbarem Ausdruck, die Hand am Kinn, und in tiefer Bestürzung der Pater. Sie aber schien das gar nicht zu merken und fuhr, da sie ohne Antwort blieb, unbekümmert fort: »Denn das sind doch gar keine Hexen. Sehen Fürstliche Gnaden sich doch die armen Weiber an, die da eingefangen werden, alt und gebrechlich die meisten, viele wohl auch dumm oder boshaft, wie das Leben nun einmal die Menschen macht. Aber Gewalt, das Böse zu tun? Keine hat mehr davon, als ihre beiden Hände reichen oder eher noch die Zunge. Wenn der Teufel sich Gefolgschaft sucht, meint Ihr nicht, er würde andere wählen als diese Armseligen?« Bischof Philipp Adolf erwiderte, diesmal ganz und gar nicht huldreich, sondern in grimmigem Ernst, wenn sie Recht habe, so würden das die Prozesse erweisen. Die brächten alles ans Licht und würden jeden der ihm gebührenden Strafe zuführen – jeden und jede. Da solle keiner hoffen davonzukommen! War sie nun gewarnt? Es schien nicht so, denn sie fing von Neuem an. Ein Fall liege ihr und ihrem Mann besonders am Herzen und sei wohl geeignet Seine Fürstliche Gnaden nicht nur zu väterlichem Erbarmen zu bewegen, sondern auch zu strenger Prüfung der vorgenommenen Verhaftungen. »Im Hexengefängnis liegt sei gestern ein Kind, ein Mägdlein von zwölf

18

Jahren. Es ist fremd in der Stadt, mit anderen Flüchtlingen zugewandert aus Oberfranken, aus einem Dorf, das die Kroaten zerstört haben. Die Bewohner wurden zu Tode gemartert, das Kind allein entkam und schlug sich durch zu einer Muhme, die es hier in der Stadt hat. Das dumme Weib hat es ins Unglück gebracht. Es wusste nichts Klügeres, als überall zu erzählen, das Kind sei vom Teufel besessen und Schlimmeres. Aber wer kann sich wundern, dass es sich anders beträgt als Kinder sonst, des Nachts laut schreit und sich in Winkel flüchtet! Helfen doch Fürstliche Gnaden zu verhüten . . .«

»Schweig!«, fuhr sie der Bischof grob an. »Schweige Sie und rechne Sie es sich als große Gnade an, wenn ich Ihr Gerede vergesse! Weiß Sie denn nicht, wie solche Einmischung in die Malefizgerichtsbarkeit anderswo bestraft wird?«

Sie ließ die Hände sinken, die sie bittend erhoben hatte, stand regungslos und senkte den Kopf. Dann hob sie ihn wieder und sagte leise: »So? So ist das, Fürstliche Gnaden? Ja, dann vergebt nur!« Sie verneigte sich wieder und ging.

Als sie, schon an der Tür, noch einmal das Knie beugte, rief der Bischof ihr nach: »Hör Sie! Wenn Sie deshalb gekommen ist – Sie hat nichts zu fürchten, auch nicht für die Ihren –, bei meiner Ehre!«

Da schnellte sie kerzengerade auf aus der demütigen Haltung. Ihre Antwort kam rasch und scharf, ein Gertenschlag: »Ergebenen Dank, Fürstliche Gnaden! Aber wir haben nichts zu fürchten.« Und war hinaus.

Der Bischof starrte so abwesend auf die Tür, die hinter der Frau ins Schloss fiel, dass er den bescheidenen Abschiedsgruß des Paters nicht bemerkte. Doktor Brandt musste sich ein paar Mal räuspern und dann noch seinen Herrn mit direkter Frage in die Gegenwart zurückrufen: »Beliebt es Fürstlichen Gnaden, wenn ich jetzt fortfahre?«

Bischof Philipp Adolf schrak auf, als hätte er geschlafen und schwer geträumt. »Wie? Ja, Doktor, fahrt fort! Nein, besser noch, fangt von vorne an!«

Der Kanzler blätterte umständlich zurück und begann noch einmal mit dem Vorlesen des Erlasses, auf den er nicht wenig stolz war:

»Nach Gottes unerforschlichem Ratschluss hat sich bei Unserer ohnehin beschwerlichen und gefahrvollen Regierung das Laster aller Laster, das ist die Hexerei und Teufelskunst, aus sonderlicher göttlicher Fügung ereignet. Wann Wir der göttlichen Handbietung zur gänzlichen Ausreutung des Übels nicht nachsetzen würden, hätten Wir nit allein vor Unserm Gewissen solches zu verantworten, sondern müssten auch besorgen, dass Gott der Allmächtige über das ganze Land Strafen um so viel desto mehr verhängen möchte, wie viel weniger Wir uns die Abschaffung eines so schrecklichen Übels, dessen ernstliche Leibes- und Lebensbestrafung in Heiliger, göttlicher Schrift geboten, angelegen sein ließen. Weil ja die bisher über uns ergangenen Strafen so vielfältiger Kriege, Hunger, Pestilenz und andere Unfälle so gar nichts gefruchtet, begehren Wir mit vorgenommener Inquisition dieses Lasters nichts anderes denn zuvörderst die Rettung der Ehre Gottes, sodann der armen, jämmerlich verführten Unmenschen Seelenheil und Seligkeit,

auch dieselben wiederum in göttliche Huld und Gnade zu bringen.«

»Gut gesagt!« Seine Fürstliche Gnaden nickten beifällig. Nichts anderes denn die Ehre Gottes und der armen Verführten Seelenheil! Wer könnte ein solches Vorhaben tadeln! Nun aber der heikle Punkt, an den der Doktor Brandt zuerst nicht recht dran gewollt! Der Bischof lehnte sich gespannt zwischen den Armlehnen seines Sessels vor und horchte auf die dürre, eintönige Stimme, die fortfuhr:

»Dass Seine Fürstlichen Gnaden dahin gemüßiget worden, neben der ordentlichen Verwirkung Leibes und Lebens auch alle deroselben Hab und Güter einzuziehen und Dero Fisco zuzueignen befugt wären, sintemalen uff diesen Prozess, seiner Schwere und Weitläufigkeit halber, weit ein Mehres dann uff die Bestrafung anderer Übeltäter ufflaufen tut, welche Unkosten Seine Fürstlichen Gnaden weder Deroselben Untertanen, noch weniger aber Dero Kammern und Ämtern uffzulegen wissen. Als haben sich Dieselbig nach vielfältiger Beratschlagung endlich dahin resolvieret, des angefallenen Juris confiscandi sich so weit zu bedienen, dass davon solche Unkosten abgetragen werden, und, dafern noch etwas überschießen sollte, dasselbig alles den armen Abgeleibten zu dero Seelenheil und Trost, an Dero Fisco aber das Wenigst zu wenden.«

Gut, gut! Es wird ohnehin genug üble Nachrede geben, so als wollten Wir Uns am Gut der armen Sünder bereichern. Aber was soll man machen? Prozesse kosten Geld und diese mehr als sonst, das Land ist arm, die Zeiten hart. Ist's nicht nur gerecht, dass die Unholden selbst die Kosten ihrer Ausrottung tragen sollen?

Es folgten haargenaue Anweisungen über die

Durchführung: dass in Fällen, wo Malefikanten Kinder hinterließen – *»verhoffentlich unschuldig«* –, nur der fünfte Teil des Vermögens, wo Verwandte bis zum dritten Grad erbten, nur die Hälfte einzuziehen sei. In allen Ämtern und Zenten sollten sofort Kuratoren bestellt werden, die das traurige Geschäft gewissenhaft zu besorgen hatten, von der Inventuraufnahme im Augenblick der Verhaftung bis zum Verkauf des liegenden und fahrenden Gutes *»zum Teuersten«*. Auch die Art der Abrechnung war genau vorgeschrieben, monatlich und getrennt nach Bareinnahmen und Außenständen. Da war nichts vergessen, da schlüpfte ebenso wenig ein Heller durch die Maschen, wie ein Verdächtiger dem Malefizgericht entkam.

Der Bischof trug keine Bedenken das Schriftstück zu unterzeichnen. Aber noch einmal zögerte er, die eingetunkte Feder schon über dem Papier. »Was meint Ihr, Doktor, es wird Uns doch keiner unterstellen, Wir suchten etwas anderes bei dem harten Verfahren als allein die Reinigung des Landes vom Teufelsgeschmeiß der Hexen und Unholden?«

Der Kanzler verzog sein ledernes Gesicht zu einer Grimasse, die ein Lächeln bedeuten sollte. Er wusste besser als sein Herr, dass die Güterkonfiskation ungesetzlich war. Aber wer den Kampf mit dem Teufel aufnimmt, darf nicht zimperlich sein.

3

In einem Haus am Fischmarkt trat ein Mann näher zum Fenster um im schwindenden Licht weiterzulesen in ein paar beschriebenen Blättern, die er in der Hand hielt. Es war eine wissenschaftliche Abhandlung, die ihm ein Studienfreund aus England zugeschickt hatte mit der Bitte, sie in Deutschland in Druck zu geben, wenn er es für möglich und ratsam halte. In England wage er es nicht, obgleich oder weil er Leibarzt des Königs sei. Die Schrift handelte vom Blutkreislauf im Körper von Tieren und Menschen und den Leser fesselte ebenso die unerhört neue Entdeckung wie die knappe, einleuchtende Darstellung. Schon war er fest entschlossen die Bitte des Freundes zu erfüllen. Nun aber wurde es draußen so dunkel, dass er nicht weiterlesen konnte, wiewohl es noch hoch am Nachmittag war. Er ließ die Blätter sinken. »So viel Licht!«, seufzte er. »So viel Einblick in die Geheimnisse deiner Schöpfung, großer Gott! Warum nur hier diese Finsternis?«

Ein Blitz erhellte das Zimmer. Fast gleichzeitig dröhnte der Donner in die enge Gasse herunter. Das Gewitter, das schon seit Mittag über dem Tal gedroht hatte, entlud sich. Regen schlug in Strömen gegen die Fensterscheiben. Aus dem Inneren des Hauses drang Gebetsmurmeln. Sicher kniete die Magd in der Küche vor der geweihten Kerze, mit zugehaltenen Augen, und die hellen Stimmen der beiden Töchter begleiteten ihr Gebet. Gegen den Blitz mochte das helfen, was aber half gegen das, was morgen kam – kommen musste?

Der Mann tastete sich zum Tisch, schlug Feuer und zündete die Lampe an. Er legte die Blätter zusammen, las aber nicht weiter. Den Kopf in die Hände gestützt starrte er in das Flämmchen der Lampe, dem immer gleichen Kreislauf seiner Gedanken hingegeben: Was kann ich tun? Was darf ich tun? Darf ich es unterlassen, etwas zu tun?

Das Gewitter ging so schnell, wie es gekommen war. Schon rollte der Donner in der Ferne. Nur der Regen strömte weiter, rauschte die Dachrinnen und Gossen herunter. Über den Flur kamen leichte Schritte, ein Lockenkopf schob sich durch den Türspalt: »Vater, die Abendsuppe ist fertig. Sollen wir auf die Mutter warten?«

Er schrak auf. War Veronika noch nicht zurück? »Nein, esst nur! Ich warte auf sie.« Die Tür schloss sich wieder. Seine Gedanken nahmen nun eine andere Richtung. Wo blieb sie? Bald nach Mittag war sie weggegangen ohne zu sagen wohin. Das war nicht ungewöhnlich. Irgendeine Besorgung oder ein Besuch und ganz gewiss nicht das, was sie wie in einer Laune bei Tisch angekündigt hatte, musste sie fortgerufen haben. Nun aber waren schon Stunden vergangen, längst hatte die Vesper geläutet, und selbst wenn sie irgendwo das Unwetter abgewartet hatte, sie hätte längst daheim sein müssen.

Gerade war seine Besorgnis so angewachsen, dass er sich aufmachen wollte sie zu suchen, wenn auch ohne Ahnung, wo – da knarrte die Haustür. Sie trat ins Zimmer, durchnässt vom Regen, die Spur eines Lächelns auf dem weißen Gesicht. »Hast du lange gewartet, Lieber?«

24

»Wo bist du gewesen?«, fragte er, voll vom aufge
stauten Groll der überstandenen Sorge um sie.

Noch immer lächelte sie. »Du weißt es ja. Warum
fragst du?«

»Bist du wahnsinnig?« Er flüsterte fast. »Ich hatte es
dir verboten und du bist dennoch gegangen?«

Sie lehnte am Türpfosten und blickte ihn schweigend an, bleich, aber ohne ein Zeichen von Beschä-
mung oder Trotz. Das reizte ihn nur noch mehr.

»Ich denke verzweifelt nach, ob ich etwas tun soll
oder kann und was. Aber du gehst einfach hin, geradewegs zu ihm selbst, wo doch jeder weiß, dass er hexen-
gläubiger ist als jedes Köhlerweib. Was ist dir nur eingefallen? Du wirst das Unglück auf uns alle herunter-
gerufen haben, das ist alles.«

Sie erwiderte leise: »Für das Kind hab' ich gebetet.
Ich weiß doch, wie dir das nahe geht.«

»Und was hast du erreicht?« Es war kaum eine
Frage.

Sie schwieg. Dann sagte sie: »Er hat versprochen
uns zu schonen und das bei seiner Ehre.«

»Uns!« Der Mann lachte auf. »Begreifst du nicht,
dass schon dies Versprechen eine Drohung ist? Es
besagt, dass auch wir vom Verdacht nicht ausge-
schlossen sind. Er kann es nicht halten, selbst wenn
er wollte, eines Tages nicht mehr. Solche Dinge rollen nach ihrem eigenen Gesetz ab wie eine Feuers-
brunst oder ein Hochwasser. Was soll da ein Ehrenwort!«

»Es ist ein besserer Schutz, als du denkst. Ihr Ehrenwort – das gilt den Leuten seines Schlages immer
noch höher als jeder fromme Schwur und erst ihm,

der so stolz darauf ist, es zum Reichsfürsten gebracht zu haben.«

»Woher willst du das wissen?«

Wieder sah er auf ihrem Gesicht das geisterhafte Lächeln, kaum sichtbar und sogleich verschwunden. In hilflosem Zorn hob er die Hand und ließ sie wieder sinken, schlug die Augen nieder vor ihrem Blick und ging stumm aus der Tür.

Die Frau horchte ihm nach, wie er schweren Schritts die Treppe hinaufstieg. Dann, da sie die Magd noch in der Küche wirtschaften hörte, ging sie und schickte das Mädchen zu Bett. Weder der Doktor noch sie selbst wollten essen. Sie legte das nasse Oberkleid, Haube und Schuhe ab und breitete sie über der Küchenbank, nahe der Herdglut, zum Trocknen aus. Dann stieg auch sie in die Schlafkammer unter dem Dach hinauf. Sie brauchte keine Kerze, die Sommernacht, wieder beruhigt, war hell genug. Ihr matter Schein drang durch jedes Fenster, jede offene Tür ins Innere des Hauses.

Die Kammer der Töchter stand offen. Einträchtig wie Kinder lagen sie nebeneinander in dem breiten Bett, die Wange in den angewinkelten Arm gedrückt, im ersten tiefen Schlaf. In der großen Giebelstube, deren Fenster nach dem Strom hinausging, hatte sich Sebastian Reutter nur halb entkleidet auf das Bett geworfen. Auch er schlief schon oder stellte sich so.

Die Frau streifte ihn mit einem Blick, ging zum Fenster und öffnete es. Vom Wetter gereinigt strömte die Luft in den dumpfen Raum. Die Gossen rauschten noch und unter den nahen Brückenpfeilern der Strom. In der Ferne rief ein Wächter die

Stunden aus. Sonst schlief die Stadt. Konnte ein so tiefer Friede trügen? Lange stand die Frau, beide Hände um den Fensterriegel gelegt, in Gedanken versunken.

Ihr habt nichts zu fürchten, dachte sie. Das weiß ich besser als du, Sebastian. Er wird sein Wort halten. Aber ist das wirklich ein Trost? Dass es die Ausnahme sein wird unter Tausenden, gegenüber dem, was morgen über Stadt und Land hereinbrechen wird? War das wirklich alles, was du erreichen wolltest? Dann bist du sehr bescheiden geworden! Du hättest ihn zwingen können, hättest alles abwenden können, für alle, wärest du nur allein gewesen mit ihm. Der junge Pater, der war harmlos, ohne Arg wie ohne Ahnung. Aber der Alte, der Doktor, der ist böse – der Böse –, die Gegenkraft. Ach, ich habe alles falsch angefangen. Aber blieb mir denn Zeit? Es war ja schon viel, dass ich überhaupt zu ihm vordrang.

Ein Geräusch im Flur schreckte sie auf. Sie ahnte sogleich, was es war, lief hinaus und fing noch an der Kammertür die zarte Gestalt im wehenden Hemdchen in ihren Armen auf. Mit geschlossenen Augen, die Hände tastend vorgestreckt, war ihre Jüngste unterwegs zur nächtlichen Wanderung, geradewegs auf den dunklen Treppenschacht zu.

Ach, fing das nun wieder an? Sie hatte das Kind geheilt geglaubt. »Sabine, Rotköpfchen, was fällt dir ein?«, flüsterte sie. »Das kann dich das Leben kosten.« Dabei dachte sie aber schon nicht mehr an den dunklen Treppenschacht. Sie brachte die kleine Schlafwandlerin wie ein Kind zu Bett. Katrin, die Ältere, regte sich und murmelte, wurde aber nicht wach. Sie war robuster als die kleine Schwester, mit gesundem Schlaf und einem ruhigen Gemüt gesegnet, auch schöner – sehr schön mit ihren schweren blonden Zöpfen. Sie würde den Eltern kaum Sorgen machen.

Aber das Rotköpfchen! Auf dich werde ich aufpassen müssen, dachte die Mutter – jetzt mehr als je. Du gleichst mir ja viel zu sehr. Der Vater muss dir Mohnsaft geben, damit du fest schläfst in den Nächten und dir nicht wieder so etwas geschieht wie heut. Veronika legte die Hände auf Herz und Stirn ihres Kindes und murmelte leise Worte. Schnell sank Sabine in tiefen Schlaf. Die Mutter aber blieb auf dem Bettrand sitzen, wachsam und voller Sorge, bis auch ihr Kopf aufs Kissen sank und sie einschlief, halb über ihren Kindern liegend. Da sangen schon die ersten Vögel im Birnbaum draußen.

4

Pater Friedrich an Pater Tannhofer:

den 10. Juni 1627
um Mitternacht

Mein hochverehrter Freund und Vater!

Unter dem heutigen Datum, so hatte ich gehofft, solltet Ihr längst meinen ersten Brief vom Reiseziel in Händen halten mit treulichem Bericht über die neue Umgebung, neue Pflichten und, so Gott es wollte, auch vom errungenen Sieg über die Euch bekannten Anfechtungen.

Nun aber bin ich erst am heutigen Tage, genauer vor knapp zwölf Stunden, hier angekommen, kaum vom Reisestaub gesäubert zu einer Audienz bei Seinen Fürstlichen Gnaden befohlen und von den neuen Aufgaben, die meiner hier warten, so bis zum Verstummen überwältigt, dass ich erst in dieser Nachtstunde die Muße finde Euch den längst schuldigen Brief zu schreiben. Schlaf habe ich trotz meiner Ermüdung vergeblich gesucht. So mag es denn, nächst dem Gebet, die würdigste Art sein diese ruhelosen Stunden hinzubringen, dass ich im Geiste mit Euch rede.

Vor allem sollt Ihr erfahren, warum sich meine Reise so sehr verzögert hat, die doch in friedlichen Zeiten eine Frühlingswanderung von wenig mehr als zwei Wochen gewesen ist. Diesmal hat sie sich über fast zwei Monate hingezogen und glich mehr einem Weg durch die Hölle als durch wohl bebautes deutsches Land. Die großen Heerstraßen wimmelten von Kriegsvölkern, so dass wir unsern Weg abseits durch Dörfer und kleine Städte suchten. Aber was wir dort antrafen, war kaum weniger schlimm als die Grausamkeiten der Soldateska. Hunger und Pest haben überall gehaust und die Menschen mit Argwohn und Hass gegeneinander erfüllt. Ist es ein Wunder, wenn sie in zwei Missernten und so viel andern Heimsuchungen ein Werk des Satans und seiner Genossen sehen? Vom Überhandnehmen der Hexen zeugt auch die verschärfte Verfolgung, die sie überall durch die Obrigkeit erfahren. Niemals sah ich an so vielen Orten verkohlte Pfosten aus niedergebrannten Scheiterhaufen ragen, schauerliche Mahnmale. Mögen die Heiligen uns vor diesem Unwesen erretten!

Zuletzt, als wir uns dem Ziel schon nahe glaubten, gerieten wir in eine Gegend, die von der Pest fast ganz entvölkert war. Auf verlassenen Höfen mussten wir uns selbst Nahrung suchen, kümmerlich genug. Dabei mag Pater Kircher, der mich begleitete, etwas vom Gift der Krankheit aufgelesen haben. Er erkrankte und starb nach einigen Tagen, zumal ich wenig für seine Pflege tun konnte. Darüber habe ich Genaues an den Pater Provinzial geschrieben. Nachdem ich meinen Gefährten an einem sorgsam bezeichneten Ort, wiewohl in ungeweihter Erde, bestattet hatte, zog ich weiter, aus den Dörfern verjagt, weil ich aus dem verseuchten Gebiet kam, auf Umwegen und oft verirrt, bis ich endlich heute Mittag diese Stadt und unser Ordenshaus erreichte, am siebenundvierzigsten Tag nach meinem Aufbruch. Ich war schon mit Ungeduld erwartet worden und der Bischof, der zuletzt fast täglich nach mir hatte fragen lassen, befahl mich sofort zu sich. Von dieser Audienz würde ich Euch gern ausführlich berichten, wenn es mündlich geschehen könnte. So aber hüte ich mich lieber eine vielleicht voreilige Meinung unbedacht niederzuschreiben. Es ist möglich, dass ich noch Euren Rat brauchen werde, falls es wirklich an dem sein sollte, dass hierorts das Amt des Hexenbeichtigers nicht allein auf den geistlichen Bereich beschränkt ist. Doch kann ich mich irren. Denn das Gespräch war nur kurz, eines Zwischenfalls wegen, an dem ich nicht unschuldig bin.

Als ich in Eile und schwer atmend unter einem

aufsteigenden Gewitter den bischöflichen Palast auf der Burg betreten wollte, sprach mich eine Frau an, die dort wartend stand.

Sie bat mich ihr zu einer Audienz beim Bischof zu verhelfen, an den sie ein dringendes Anliegen hätte. Diese Bitte brachte sie so bescheiden vor und glich nach Kleidung und Gehaben so sehr einer ehrbaren Bürgersfrau aus der Stadt, dass ich keinerlei Bedenken trug sie gegen den Widerspruch des Türhüters mit mir in Seiner Fürstlichen Gnaden Vorzimmer zu führen. Dann wurde ich freilich belehrt, dass ich damit gegen ein strenges Verbot verstoßen hätte, weil der Bischof seit einiger Zeit, wohl mit gutem Grund, Bittsteller nicht mehr empfange, es sei denn unter besonderen Umständen. Diese Umstände schienen hier allerdings gegeben, denn trotz seines deutlich geäußerten Unwillens ließ der Bischof erstaunlicherweise die Frau vor, ja, ich hatte den Eindruck, als habe er um ihretwillen das Gespräch mit mir abgekürzt, indem er mich an den Kanzler Doktor Brandt verwies. Da dieser mich im gleichen Saal anhand der Akten vom Stand der Prozesse unterrichtete, konnte ich nicht umhin das Gespräch des Bischofs mit der Frau anzuhören.

Ich erschrak, als ich erfuhr, welches das Anliegen sei, für das sie meine Hilfe beansprucht hatte. Sie legte ganz offen und ohne Scheu Fürbitte ein für die Hexen in der Stadt, die nach ihrer Meinung gar keine seien. Das brachte sie recht herzbeweglich und überzeugend vor. Aber ich brauche Euch wohl nicht daran zu erinnern, mein Vater, dass schon der Hexenhammer lehrt und alle Autoritäten es seitdem bestätigt haben: Gerade Mitleid mit den Hexen und das Leugnen ihrer Schädlichkeit sei ein schweres, fast untrügliches Indiz für die eigene Schuld. Das weiß jedes Kind und diese Frau hätte es nicht gewusst? Oder konnte sie nicht anders, weil sie selbst eine von denen ist, für die sie bat? Der Bischof wies denn auch ihre Bitte mit harten Worten zurück und hieß sie schweigen. Sonst aber schien er keine Folgerungen ziehen zu wollen aus ihrem Leichtsinn oder ihrer unbedachten Selbstbezichtigung. Denn als sie schon an der Tür war, rief er sie zurück und gab ihr aus freien Stücken das Versprechen, dass weder sie noch die Ihren von den Prozessen etwas zu fürchten hätten, welche Gunst sie wenig dankbar, sondern mit schnippischem Hochmut aufnahm.

Dem Doktor Brandt merkte ich trotz seiner starren Miene an, dass ihn der ganze Vorgang ebenso wunderte wie mich. Umso weniger konnte ich das Ganze verstehen. Niemals hätte ich dieser Frau nach ihrem ganzen Wesen etwas Teuflisches zugetraut. Wie aber soll ich nach dem, was ich selbst miterlebt habe, nun über sie urteilen? Sie hat nicht nur höchst verdächtige Reden geführt, sondern auch noch zwei Menschen wider oder ohne ihren Willen dazu gebracht nach ihren Wünschen zu handeln: den Bischof und mich. Ich begreife meine eigenmächtige Hilfsbereitschaft immer weniger und der Bischof hat sie gegen seinen deutlich verkündeten Entschluss immerhin angehört, wenn er auch ihre Fürbitte zurückgewiesen hat. Aber das Versprechen, das er ihr gab, ist umso merkwürdiger. Womit hat sie diese Nachsicht verdient? Oder was gibt ihr die Macht auf so sanfte Art ihren Willen durchzusetzen? Ich sehe, dass mein neues Amt mich vor Fragen stellt, vor denen mein inneres Gefühl versagt.

Ich kann diesen Brief nicht schließen ohne noch einmal in die oftmals gerügte Anfechtung zu fallen und Euch zum letzten Mal zu fragen, ob es mir für alle Zeit versagt bleiben muss, zur indischen Mission oder in die Neue Welt entsendet zu werden? Es ist der Wunsch meines Herzens, seit ich denken kann, und der eigentliche Antrieb für meinen Eintritt in den Orden. Dies Ziel wenigstens für spätere Jahre erhoffen zu dürfen wäre schon ein Trost. Ich fühle, dass Ihr mir zürnt, mein Vater. Aber noch einmal musste ich diesen Wunsch aussprechen, ehe ich ganz auf ihn verzichte und mich im Gehorsam beuge.

Haltet, verehrter Freund und Vater, meiner Übermüdung zugute, was Euch etwa an diesen Zeilen missfällt, und seid in Demut gegrüßt von Eurem

Pater Friedrich

5

Am nächsten Tag wusste es die ganze Stadt. Die Schreiber hatten bis in die Nacht an den Kopien gearbeitet und am frühen Morgen gelangte der Erlass in alle Amtsstuben. Dennoch war es erstaunlich, wie schnell sein Inhalt unter die Leute gekommen war, wie ein fliegender Same, eine Ansteckung. Schon am Vormittag standen sie in Gruppen auf dem Markt und in den Gassen und beredeten die neue Verordnung. Sie waren sich darüber einig und äußerten laut ihre Zufriedenheit mit diesem Entschluss Seiner Fürstlichen Gnaden. Ein Segen sei es, dass die Obrigkeit endlich ein Einsehen habe und mit dem Gesindel ein Ende zu machen also fest entschlossen sei. Das Maß war voll. Zwei Pestjahre und ebenso viele Missernten waren mehr als genug. Man war ja seiner Gesundheit und seines Lebens, ja seiner ewigen Seligkeit nicht mehr sicher bei dieser Überhandnahme der Unholden. Ein wahrhaft gottgefälliges Werk war es, sie auszurotten – ja, das war es.

Das hörte man überall und von jedem. Nur wenige – wenn auch nicht so wenige, dass es unbemerkt geblieben wäre –, schielten beim Reden scheu nach rechts und links, ob irgendjemand sie scharf anblickte. Alle aber, ob Bürgersfrau oder Hökerin, Ratsherr oder Handwerker, hatten irgendjemand im Sinn, einen Nachbarn, eine gute Freundin, von denen sie hofften, dass ihre Bosheit bei dieser Gelegenheit die rechte Strafe finden werde. Aber wer mochte dergleichen Gedanken auf offener Straße merken lassen! So blieb es bei der scheinbaren Eintracht im Abscheu gegen das Hexengelichter.

Alle erschraken und einige kreischten auf, als eine Schar kleiner Schulbuben aus der untersten Klasse der Lateinschule unter lautem Geschrei daherstürmte: »Hex, Hex, Butterhex!« Sie meinten es nicht böse, hatten niemanden dabei im Sinn, waren nur von der allgemeinen Aufregung angesteckt und trugen ihr Teil dazu bei, rannten durch die Menge, stießen einen Eierkorb um, rissen die Mädchen an den Zöpfen und schrien immer wieder ihr: »Hex, Hex, Hex!«

34

Aber niemand fand den Einfall besonders witzig. Es setzte Ohrfeigen von allen Seiten und aufgebrachtes Gezeter, solche Dinge seien kein Kinderspiel, sondern viel zu ernst. Als werde es manchem jetzt erst bewusst, wie ernst sie seien, leerten sich Markt und Gassen mit einem Male. Es wurde Zeit für das Mittagessen, denn eben schlugen die Glocken an.

Als sie ausläuteten, schloss Sebastian die Haustür hinter dem letzten Patienten und rief nach seiner Frau. Sie kam sogleich, wie sie auch an diesem Morgen immer wieder gekommen war, sobald er rief, damit sie ihm Hilfe leiste einen Arm oder ein Bein festzuhalten, ein weinendes Kind, eine ängstliche Frau zu beruhigen. Diesmal war es etwas anderes, das wusste sie. Denn sie hatte die Gespräche der Wartenden im Flur gehört und manches war ihr in vertraulicher Geschwätzigkeit zugeraunt worden.

Ihr Mann zog sie in die Studierstube herein und schloss die Tür. Dahinter hörten sie die Magd mit Getöse und reichlich Wasser den Flur säubern von den Spuren der vielen Füße. Sebastian winkte mit dem Kopf nach dem Geräusch und flüsterte: »Schick sie noch heute heim in ihr Dorf, meinetwegen mit einem Jahreslohn, aber heute noch. Dort ist sie sicherer als hier – und wir sind es vor ihr.«

»Ja, Sebastian«, erwiderte die Frau.

»Ich sollte euch auch lieber wegschicken«, fuhr er fort. »In der Weinberghütte meiner Muhme könntet ihr ganz gut hausen, nur eine Tagreise weit von hier.«

»Ach, diese Weinberghütte!«, rief Veronika und

lachte ein wenig trotz des bitterernsten Gesprächs. »Schon als du sie erbtest mit dem Weinberg, hast du gesagt, sie sei in einem erbärmlichen Zustand. Und jetzt willst du uns gar drin wohnen lassen. Nein, nein, Sebastian, hier sind wir besser aufgehoben – und auch sicher!«, fügte sie mit einem Anklang von Trotz hinzu.

Er überhörte ihn und sagte: »Vielleicht hast du Recht, einstweilen. Man sollte keinen Argwohn wecken. Ihr müsst eben die Hausarbeit für eine Zeit allein machen und euch ganz für euch halten, noch mehr als in der Pestzeit. Denn diese Pest ist schlimmer.«

»Ja, Sebastian«, erwiderte sie und fragte dann doch: »Und Jakobe und ihre Kinder?«

»Die ist besser beschützt als wir. Ihr Mann ist immerhin Ratsherr. Die Steres sind alteingesessen und haben Einfluss.«

Veronika schwieg. Es geschah zum ersten Mal, dass er Jakobe, die älteste Tochter, so ausschloss aus ihrer kleinen Gemeinschaft. Aber es musste ja sein. Er hatte Recht und hätte nicht anders entscheiden können, wäre sie sein eigenes Kind gewesen. Für Jakobe war jetzt ihr Mann verantwortlich. Der junge Ratsherr zum Stere war wohl im Stande, Weib und Kinder selbst zu schützen.

Veronika hob den Kopf und blickte ihrem Mann in die Augen. Wie viele Male in diesem Vierteljahrhundert ihrer Ehe hatten sie so voreinander gestanden, bedroht, umstellt, bereit zur schweigenden Gegenwehr oder zur Flucht, immer im gleichen Kampf gegen den gleichen Feind. Mit einem Male packten sie sich bei den Händen, stürzten gegeneinander, sich umklammernd, schutzsuchend jeder und zugleich den andern schirmend.

»So war es noch nie«, murmelte Sebastian. »Gott mag wissen, wie es ausgeht.«

6

Später am gleichen Tag, auf dem Heimweg von einem Krankenbesuch, begegnete Sebastian draußen vor dem Tor einem jungen Burschen, der mit schlenkernden Armen und hüpfendem Schritt lustig pfeifend schon von weitem seine gute Laune bekundete. Er erkannte den Kilian Poscher, den Sohn einer Ratsschreiberswitwe, dessen er sich einmal angenommen und ihn als Schreiber in der bischöflichen Kanzlei untergebracht hatte.

»Nun, Kilian«, fragte er, »was freut dich denn so sehr?« Er dachte, es sei doch erstaunlich, aber auch tröstlich, wenn an einem solchen Tag wie heute irgendein Mensch einen Grund zur Fröhlichkeit fände.

Der Kilian platzte stolz heraus: »Denkt Euch, Herr Doktor, sie haben mich zum Malefizschreiber bestellt.«

Sebastian meinte – um nur etwas zu sagen –, der Kilian sei wohl noch ein wenig jung für dieses Amt.

»Das sagen sie alle!«, sprudelte der Bub hervor. »Alle sind sie mir neidisch auf der Kanzlei. Aber ich bin nun einmal der Beste unter den Jungen, im Schönschreiben und in der Schnelligkeit auch, und mit den lateinischen Wörtern komm' ich auch zurecht. So haben die Herren halt mich ausgewählt. 's ist auch nur zur Aushilfe einstweilen, weil's der alte Vogelseim nimmer schafft.«

»Der Vogelseim«, erwiderte Sebastian, »ist ein alter, kranker Mann. Ich gönn's ihm, dass er von der Arbeit loskommt. Aber du – würdest du sie wirklich so gern übernehmen?«

»Und ob!«, strahlte der Bub. »Ich krieg' ja viel mehr Geld als sonst und dann noch für jeden Verurteilten einen halben Gulden extra, denkt doch nur!«

»Ja, ja, das ist eine gute Sache für dich, aber auch keine leichte Arbeit, Kilian. Du wirst viel blutigen Jammer sehen.«

»Hat mir der Vogelseim schon erzählt. Aber was tut das? Das sind doch nur die bösen Weiber, die schlechtes Wetter machen und Pest und Hungersnot. Soll ich Mitleid haben mit denen? 's ist doch ein gutes Werk, die ausrotten helfen.«

»Stell dir's nur nicht zu leicht vor, Kilian! Du wirst des Teufels Atem nahe genug zu spüren bekommen. Schon mancher ist ihm verfallen, wenn er noch glaubte gegen ihn zu kämpfen.«

»Mir macht keiner Angst, Herr Doktor! Und wenn's auch wirklich so schlimm wäre, ich müsst' doch ein Narr sein, wenn ich die Gelegenheit ausließe. Ich will doch was werden. Mein Vater ist Stadtschreiber gewesen.«

»Ja, ich weiß.« Nachdenklich betrachtete Sebastian das frische Bubengesicht, das auch die Kanzleiluft noch nicht gebleicht hatte. Wie aber würde es nach einem Jahr aussehen oder nach zweien? Schade um dich, Kilian Poscher!, dachte Sebastian. Dann fiel ihm etwas ein und er fragte: »Willst du mir einen Gefallen tun, Kilian?«

»Euch immer, Herr Doktor!«

»Dann schreib doch, da du mit der Feder so geübt bist, einmal daheim auf, was dir von den Prozessen im Gedächtnis bleibt, nicht das Gleiche wie in den Protokollen, mehr was du dir so dabei denkst – eben das, was nicht in die Akten kommt.«

»Wollt Ihr das lesen? Soll ich es Euch aufschreiben?«, fragte der neue Malefizschreiber argwöhnisch.

»Nicht für mich, Kilian, nur für dich selbst und später für deine Kinder, dass sie einmal sehen, an welch großem Werk du mitgewirkt hast. Es kann dir auch nützen, denn es wäre eine gute Übung. Vielleicht wirst du ja auch einmal Stadtschreiber.«

Der Kilian wurde ganz rot vor Stolz. Dann aber, da der Doktor nichts weiter sagte, dankte er für den guten Rat, schwenkte den Hut und verschwand in der Dämmerung, mit schlenkernden Armen, lustig pfeifend.

»Warum hast du ihm das aufgetragen?«, fragte Veronika später, als Sebastian ihr von der Begegnung erzählte. »Wenn du es doch selbst nicht lesen und niemals wissen wirst, ob er es tut und wie es gerät? Was ist dann der Sinn?«

Sebastian erwiderte: »Ich will, dass er nachdenkt. Das ist alles, was ich tun kann: diesen Buben zum Nachdenken bringen und vielleicht noch andere, bis ihnen eines Tages aufgeht, was sie da treiben. Ob es hilft?«

Der Kilian Poscher aber kaute an diesem Abend in

seiner Dachkammer lange auf der Gänsefeder. Noch hatte er nichts über sein neues Amt niederzuschreiben. Aber es drängte ihn, den Rat des Doktors auszuprobieren und wenigstens zu versuchen, ob er es könnte, einen Anfang zu machen, eine Art Einleitung. Endlich schrieb er:

»Anno 1627 den 27. Mai ist in unserm Lande der Weinwuchs aller erfroren, dazu auch das liebe Korn, das allbereits verblühet, wie das seit Menschengedenken nit geschehen, so dass zu der herrschenden Seuch und Pestilenz auch noch Teuerung und Hungersnot ausgebrochen und manches Haus im vergangenen Jahr mehr Todesfälle hat zu beklagen gehabt, als Menschen darin übrig blieben. Hierauf erhub sich unter dem gemeinen Volk ein groß Flehen und Bitten, warum man so lang zusehe, dass allbereits die Zauberer und Unholden die Früchte so gar verderben, wie denn Fürstliche Gnaden nichts weniger verursacht solches Übel abzustrafen. Auf solche Beschwerden haben Fürstliche Gnaden endlich ein Einsehen gehabt und seither angefangen die Hexen und Unholden aufzuspüren und zu strafen. Solches ist bisher in aller Stille geschehen. Doch ist mit dem gestrigen 10. Juni 1627 ein bischöflich Mandat verkündet worden, das genugsam erzeiget, wie Fürstliche Gnaden durchaus im Ernst die Sach zu betreiben gewillt sind.

Es ist aber auf heut in sechs Tagen der erste Brand angesetzt und werden dabei gerichtet werden vier Personen:

Die Lieblerin, ein Rathpersonsweib,

Die alte Ankers Witwe,

Die Gutbrodtin,

Die dicke Hökerin.

Gott sei den armen Seelen gnädig und segne Seine Fürstlichen Gnaden, so uns von dieser Pest zu befreien gewillt und entschlossen sind.«

Hexenwerk

1

Im Frühherbst gab es eine Kindtaufe im Hause der Ratsherren zum Stere. Jakobe, die schöne Arzttochter, hatte ihrem Manne nach zwei Töchtern endlich ein Söhnchen geboren. Der alte und der junge Ratsherr, Großvater und Vater, waren ganz närrisch vor Freude und fanden, der Anlass sei es wert, ein Fest zu geben, wie es in diesen Zeiten des Hungers und der unaufhörlichen Angst vor Seuchen und Kriegsnot unerhört war. Aber die Steres mit ihrem weit im Land verstreuten Besitz an nahrhaften Höfen und Weinbergen konnten es sich immer noch leisten und auch die Erlaubnis von Bischof und Rat, die eigentlich alle Lustbarkeiten verboten hatten, wussten sie sich zu verschaffen.

Sebastian, der andere Großvater, hatte wenig Lust der Einladung zu folgen. »Tollheit, heutzutage einen solchen Haufen Menschen zusammen einzuladen! Was wird da wieder geschwatzt, wie viel Unheil aus lauter Torheit gesät werden!«

Seiner Frau gelang es, ihn zu überzeugen, dass sie Jakobe an ihrem Ehrentag nicht so allein lassen dürften. Sie hatte es schwer genug mit der Schwiegermutter, der aufgeblasenen alten Sterin. Jetzt, mit dem Stammhalter im Arm, würde es freilich leichter sein. Ihr Mann und ihr Schwiegervater taten ihr alles zuliebe und überhäuften sie mit Geschenken. Aber die

41

Eltern konnte sie doch nicht entbehren und sollten sie sich am Ende verstecken vor der großspurigen Stere'schen Verwandtschaft?

Es war wirklich alles eingeladen, was nur einen Namen hatte in der Stadt, Ratsmitglieder, reiche Bürger und sogar einige von Adel, eine stattliche Versammlung von Halskrausen und Bärten, die Frauen rauschend und funkelnd im besten Putz. Sebastian blickte spöttisch im Kreise umher. Es gelüstete ihn so viel versammelte, pomphafte Würde auf die Probe zu stellen, was sie zu wagen, zu bewirken vermöge. Mahnend stieß seine Frau ihn an. Seine Miene war ihr nicht geheuer. Er lächelte ertappt und nahm sich zusammen.

Nach dem Kirchgang, als die Paten ihre Geschenke überreicht hatten und das Festessen in vollem Gange war, zog Jakobe sich bald in die Wochenstube zurück. Es war Zeit, das Kind zu stillen. Auch brauchte die junge Mutter Ruhe nach dem anstrengenden Tage. Veronika ging mit ihr. Sie schickten die Mägde hinaus und hatten beim Versorgen des Kindes und den kleinen Handreichungen, die Veronika der Tochter leistete, zum ersten Mal seit Tagen ein ruhiges Zwiegespräch miteinander. Das Gedeihen des jüngsten Stere, die kleinen Sorgen und die große Freude, die er bereitete, gaben Stoff genug.

Dann führte die Kinderfrau die beiden kleinen Mädchen zum Gutenachtkuss herein und Jakobe bestimmte: »Lass sie nur hier, Gret! Die Mutter bringt sie schon zu Bett. Geh, dass du nicht zu kurz kommst beim Taufschmaus!« Die Alte freute sich, trug eilig ein Wännchen mit warmem Wasser herein, breitete Handtücher und Nachtröckchen am Ofen aus und huschte hinaus.

»Wie gut«, sagte Veronika, »dass du dich auf sie verlassen kannst!« Mutter und Tochter tauschten einen Blick.

Sie waren reizende, schwarze Lockenköpfchen, die beiden Schwestern, ganz wie einmal Jakobe ausgesehen hatte, deren südländische Schönheit immer wieder angestaunt wurde, weil sie so wenig ihren Eltern glich. Mancher fragte wohl, wie dieser fremdartige Vogel den Reutters zugeflogen sein mochte. Jakobe selbst hatte ihre eigenen Gedanken darüber wie über manches andere auch. Sie wartete nur darauf, die Mutter einmal in aller Ruhe ausfragen zu können.

Inzwischen streifte Veronika der Jüngeren das Hemdchen ab. Da griff die ringgeschmückte Hand der Mutter herüber und berührte einen dunklen, behaarten Fleck auf dem kleinen Rücken. Oben am Schulterblatt schien der zarten Haut das Fellchen einer Maus angeklebt zu sein, nicht größer als eines Mannes Daumenabdruck. Jakobe streichelte es und blickte die Mutter kummervoll an. »Kann denn der Vater wirklich nichts tun, es ausschneiden oder ausbrennen?«

»Er sagt, das sei nicht ratsam, die Wunde würde zu groß. Aber auch wenn es gut ginge, eine solche Narbe wäre nicht besser.«

»Nur vielleicht nicht so gefährlich.«

»Gefährlich ist das überhaupt nicht«, widersprach Veronika ärgerlich, »ein Spiel der Natur wie viele andere, eine krumme Nase oder ein Schielauge meinetwegen. So was ist doch noch schlimmer, weil jeder es sieht. Das hier muss nur geheim gehalten werden wegen der Dummheit der Leute. Sonst ist nichts dabei.«

»Und – Ihr könnt auch nichts tun, Mutter?«

»Ich? – Wie meinst du das, Kind?« Vor dem unschuldig fragenden Blick der Mutter wurde Jakobe rot, wandte sich ab, hielt das Schweigen schließlich nicht mehr aus und stieß hervor: »Aber wie soll man das geheim halten, immer? Einmal muss es doch entdeckt werden.«

»Warum denn? Es gibt Leute, die so ein Mal haben und es versteckt halten, ihr ganzes Leben lang, und niemand erfährt je davon.«

»Kennst du so jemanden?«

»Zu deinem Vater kommen allerhand Leute, ich sehe und höre so manches.«

Veronika stand auf, setzte die beiden Kleinen in die Wanne und wusch sie, trocknete sie ab, streifte ihnen die Nachtröckchen über und trug sie in ihr Bett nebenan. Nachdem sie das Nachtgebet über sie gesprochen hatte, trat sie leise zur Tochter um Lebewohl zu sagen. »Du musst jetzt auch schlafen, Jakobe!«

Aber dazu war die junge Frau noch gar nicht aufgelegt. Sie schmeichelte und schmollte. War jetzt nicht der rechte Augenblick die Mutter auszufragen nach den Geheimnissen, die sie hütete, nach ihrer Abkunft, die vornehm sein sollte, nach ihren wunderbaren Kräften, die Jakobe ahnte? Veronika wich aus, wehrte lächelnd ab. Da gebe es gar keine Geheimnisse.

In ihren freundlichen Streit platzte eine aufgeregte Magd, von der alten Sterin geschickt. Die Frau Doktor möchte hinunterkommen in den Saal, ihres Mannes wegen. Veronika erschrak. Sebastians Gesicht vor dem Kirchgang! Er hatte etwas vorgehabt. So eilig sie konnte, ohne überstürzt zu erscheinen, stieg sie die Treppe hinunter.

Im Flur fauchte ihr die Sterin grimmig entgegen: »Doktorin, bring Sie Ihren Mann heim, der ist ja besoffen!« So unfein drückte sich die Ratsherrnfrau sonst nicht aus. Es konnte auch nicht die Wahrheit sein.

»Das hat an meinem Mann wohl noch keiner erlebt«, erwiderte Veronika, nicht ohne Anzüglichkeit. Der alte Stere becherte gern. Sie trat durch die Saaltür.

Da saßen die Männer mit roten Köpfen um den blank schimmernden Eichentisch, auf dem Krüge, Karaffen und Gläser eine deutliche Sprache redeten. Wenn einer zu viel getrunken hatte, so war es ganz gewiss nicht der Arzt, der gelassen im Sessel lehnte, ein Bein übergeschlagen, die Hand mit belehrender Geste erhoben. Alle blickten auf ihn. Auch die Frauen, die in Grüppchen herumsaßen, reckten die Hälse.

»Was fällt Euch ein, Doktor«, rief einer aufgebracht, »auf die traurigen Umstände noch besonders hinzuweisen, die unsere Gesellschaft heute so manchen Freundes berauben? Das Unglück unserer Stadt ist groß genug. Müsst Ihr auch noch überflüssigerweise davon reden?«

»Gerade das will ich tun«, sagte Sebastian nicht laut, aber schneidend klar, »darüber reden. Ich frage noch einmal: Wo ist der Ratsherr Baunach, der Bürgermeister Glaser, der Ratsvogt? Sie sitzen daheim und betrauern ihre Weiber und Töchter, die als Hexen verbrannt wurden, sofern sie nicht selbst schon gefangen liegen. Wie lange wollt Ihr dem noch zusehen? In einem halben oder ganzen Jahr ist vielleicht jeder hier im Saale mitbetroffen, wenn überhaupt noch einer von uns lebt. Wozu nennt Ihr Euch Ratsherren dieser Stadt, wenn Ihr einem so großen, allgemeinen Unglück tatenlos zuseht?«

»Was vermögen denn wir wider des Bischofs Gericht?«

»Das käm' auf eine Probe an. Ein entschlossener Einspruch von Amts wegen . . .«

»Nützte vielleicht. Vielleicht! Und wenn nicht?«, schnaufte der alte Stere. »Dann sind wir alle verloren. Denkt an die fünf Bürgermeister zu Bamberg oder an den bischöflichen Rat Flade zu Trier!«

Ein Schweigen folgte. Keiner wagte den andern anzublicken.

Dann brachte einer vor: »Wer ohne Schuld ist, der hat doch nichts zu fürchten.«

»Und wer ist ohne Schuld?«

Diesmal schien das Schweigen nicht enden zu wollen. »Darüber befindet das Malefizgericht«, sagte endlich der junge Stere. Es klang bitter.

»Aber es muss doch eine Grenze geben«, raffte sich ein anderer auf. »Ehrbare Bürger, denen niemand etwas Böses nachsagen kann, sollten sich auf ihr gutes Gewissen verlassen können und auf ihren Ruf.«

Sebastians wieder leicht gehobene Hand unterbrach ihn. »Wie weit sind die damit gekommen, die jetzt im Unglück sind oder schon tot? Waren sie weniger ehrbar als Ihr? Nein, macht Euch nichts vor, Sicherheit ist nirgends. Es sei denn, Ihr flieht, und auch das ist gefährlich – oder Ihr entschließt Euch etwas zu tun. Sonst werden noch viele in dieser Stadt sterben müssen, wenn nicht alle.«

Das war zu viel. Einige Frauen fingen zu weinen an. Die Männer entrüsteten sich, fanden aber keine Antwort. Der junge Stere bat seinen Schwiegervater leise: »Verderbt uns doch nicht den Festtag, Vater! Es gibt so wenige jetzt.«

Sebastian blickte der Reihe nach in die Gesichter rings um den Tisch. Die meisten wandten sich ab. Da legte sich eine Hand auf seine Schulter und eine Stimme flüsterte nah an seinem Ohr: »Sag, wolltest du nicht um die Vesperzeit noch den alten Chorherrn besuchen? Es läutet schon.«

Sebastian wandte sich nicht um, hielt aber Veronikas Hand für einen Augenblick auf seiner Schulter fest. Dann stand er auf, verneigte sich knapp und begleitete seine Frau am Arm hinaus. Der junge Ratsherr geleitete sie. Er war verlegen, denn er verehrte seinen Schwiegervater und wusste doch nicht recht, was er zu seinem Verhalten sagen sollte. Im Gärtchen hinter dem Haus hörte man das junge Volk lärmen. Veronika bat den Schwiegersohn, er möge Katrin und Sabine nicht zu spät heimschicken, dass sie nicht in die Dunkelheit kämen.

Noch läutete es von allen Türmen den Feierabend ein. Der Himmel leuchtete über den Dächern. Aus den Gärten hinter und zwischen den Häusern duftete es herbstlich nach welkem Laub und den kleinen Reisigfeuern, deren blauer Rauch sich mit den

Abendnebeln mischte. Dazwischen aber drängte sich immer stärker ein fremder, widriger Gestank auf, nach etwas anderm als verbranntem Laub. Sie spürten ihn beide zugleich, sagten aber nichts. Wenn der Wind von Westen her talaufwärts stand, wehte er den Geruch der Scheiterhaufen über die ganze Stadt. War nicht heute wieder ein Brand gewesen, der sechste oder siebente?

Erst als sie in ihr Haus traten, brach Sebastian das Schweigen: »Ich weiß, ich war unvorsichtig. Ich hatte auch nicht vor mich einzumischen, ich musste wissen, dass es sinnlos ist. Aber dann sah ich sie alle in ihrer selbstgerechten Würde, wie sie so taten, als wäre alles wie sonst und in heiliger Ordnung, als wüssten sie nicht, dass gerade heute, während sie tafelten, die Ratsherrin Baunach verbrannt worden ist samt sieben andern, meist angesehenen Leuten. Da packte es mich, dass ich sie daran erinnern musste. Aber sie sind nicht aufzuschrecken. Sie werden gebannt vor Angst zusehen, bis man auch ihre eigenen Weiber und Kinder und zuletzt sie selbst auf den Scheiterhaufen schleppt.«

2

In diesem Augenblick hörten sie draußen vor dem Fenster die eiligen Schritte der beiden Mädchen über die Kopfsteine klappern, hörten die Haustür ins Schloss fallen und unterdrücktes Gekicher. »Zu, zu!«, rief Sabine leise. »Herein darf er nicht. Aber siehst du

48

wohl, dass er hat kommen müssen, nur weil ich es wollte?«

Veronika erstarrte. Sebastian aber hatte nicht auf die Worte geachtet. Er blickte aus dem Fenster und tat einen zornigen Ausruf. Draußen stand ein Knabe von vielleicht sechzehn Jahren im schwarzen Rock der Schüler vom Adelsseminar, ein hübscher, noch fast kindlicher Bursche, und blickte erstaunt auf die Tür, die eben vor ihm zugeschlagen worden war. »Steigen diese Bürschchen jetzt sogar anständigen Bürgertöchtern nach!« Sebastian trat in den Hausflur, scheuchte die erschrockenen Mädchen mit einem Wink fort, entriegelte die Tür und trat auf die Stufen hinaus um den Jüngling mit ruhiger Strenge zurecht-zuweisen.

Veronika ergriff die Gelegenheit und folgte den Töchtern in die Küche. Mit ungewohnter Kürze schickte sie die Katrin zu Bett. Dem Sabinchen befahl sie noch eine Stunde zu spinnen, zur Strafe, sie wisse wohl warum. Die Kleine zeigte schmollend an, dass sie es durchaus nicht wisse. Aber die Mutter ließ sie zu besserer Besinnung allein im Schein des Öl-lämpchens und ging in die Stube zurück.

Eben schloss Sebastian wieder die Haustür und meinte kopfschüttelnd, einer von den Frechsten sei der junge Herr anscheinend nicht. Er habe ganz bescheiden, fast verstört gewirkt und sei sogleich ge-gangen, ohne ein Widerwort. Was dem nur eingefal-len sei! Aber am Ende hätten auch die beiden Mädchen Schuld.

»Ich red' schon mit ihnen«, versprach Veronika. Während Sebastian sich auf den Weg zu dem kranken Chorherrn machte, ging sie wieder in die Küche. Das Rotköpfchen ließ das Rad schnurren und saß sehr brav und niedlich da in seinem blauen Sonntagskleidchen. Aber die Mutter ließ sich nicht täuschen.

Sie setzte sich auf die Bank, der Tochter gegenüber, hieß sie mit Spinnen aufhören und fragte streng, wie sie es angestellt habe, dass ihnen der Junker bis zur Haustür nachgegangen sei. Sabine stellte sich dumm, aber die Mutter wischte alle Ausflüchte mit der Hand beiseite. »Ich hab' genau gehört, was du zur Katrin hinter der Tür gesagt hast. Mir machst du nichts vor.«

Da gab das Kind klein bei und erzählte stockend eine seltsame Geschichte. Vor ein paar Tagen war sie mit der Katrin auf einem Gang, den ihnen die Mutter aufgetragen hatte, einer Schar von jungen Domicellaren begegnet, darunter diesem Junker. Nein, seinen Namen wusste sie nicht. Aber er hatte ihr gefallen und im Übermut hatte sie Lust verspürt an ihm ihre Macht zu erproben.

»Was für eine Macht?«

Das Kind erschrak. Hatte es »Macht« gesagt? Nun, das meinte es nicht eigentlich.

»Was denn sonst?«

Sabine wand sich, aber ihr blieb nichts übrig, sie musste antworten. Schon lange hatte sie bemerkt, dass Dinge, von denen sie wünschte, sie möchten geschehen, so von ganzem Herzen wünschte, oft eintrafen. »Was ist Euch, Mutter?«

Aber was sie in Veronikas Gesicht erschreckt hatte, war schon wieder vergangen. »Weiter, Kind! Was hast du getan?« Es war nicht viel gewesen und gar nichts Schlimmes. Sabine hatte das Seidenband um ihren Hals, an dem ein geweihter Taler hing, heimlich gelöst und auf den Weg fallen lassen mit dem Wunsch, kein anderer als der hübsche Junker möge ihn finden. Sie hatte auch noch gesehen, dass er sich bückte. Dann aber hatte sie doch Angst bekommen vor der eigenen Keckheit und die Katrin in eine Nebengasse gezogen. Später hatte ihr das Leid getan. Sie hatte gewünscht – von ganzem Herzen –, der Junker möge zu einer bestimmten Stunde am Brunnen in der Domgasse auf sie warten und ihr den Taler zurückgeben. Dieser Tag und diese Stunde waren heute Abend gewesen. Denn sie hatte mit Bedacht den Tag der Kindtaufe gewählt, an dem sie gewiss aus dem Hause käme. Auf dem Heimweg war sie mit der Katrin am Brunnen vorbeigegangen und da hatte der Junker auch richtig gestanden und ihr den Taler hingehalten. Sie aber hatte die Lust an dem Abenteuer ganz verloren und der Katrin zugeflüstert, sie wollten fortlaufen, und der da müsste ihnen nach und wenn er die Schuhsohlen verlieren sollte. Sie hatte sich selbst gewundert, dass er wirklich nachgekommen war.

»Das ist wirklich alles, Mutter«, endete Sabine und lächelte zaghaft in der Hoffnung, auch die Mutter möge lächeln und alles nicht so schlimm finden.

Aber die Mutter lächelte nicht. Sie war so ernst, wie Sabine sie nie gesehen hatte, und ihre Stimme klang fremd, als sie sprach – so leise, dass nicht einmal eine Eule im Schornstein oder eine Katze, die am Fenster vorbeistrich, sie hätte hören können: »Weißt du auch, du Kind, dass deine Geschichte, wenn du sie jemand anderm erzählt hättest, dich vor das Malefizgericht bringen könnte?«

»Nein!«, schrie das Mädchen auf. »Mutter, Mutter! Das war doch nicht gehext! Ich hab' doch nichts Böses getan, keinem Menschen geschadet.«

»Weißt du denn nicht«, erwiderte Veronika, »dass du verurteilt werden würdest, *nicht für etwas, das du getan, sondern einzig für das, was du bist* – in ihren Augen?«

»Wie kannst du so was von mir glauben!« Das Kind warf sich auf die Knie und vornüber in den Schoß der Mutter, von Weinen geschüttelt.

Veronika sprach sanfter: »Was ich glaube oder du, das zählt ja nicht, nur was die sich einbilden. Sag mir . . .«, sie packte die Tochter an den Schultern, zog sie empor und zwang sie ihr ins Auge zu sehen.

»Wem hast du davon erzählt? Der Katrin?«

»Die Katrin weiß gar nichts. Der hab' ich nur gesagt, am Brunnen wartet einer auf mich, den wollen wir schön zum Narren halten. Wirklich, Mutter, mehr nicht.«

»Dann schweig auch jetzt, hörst du? Zu ihr und zu jedem. Und niemals wieder erlaube dir einen solchen Streich wie mit dem Junker! Es wäre der Tod für dich, vielleicht für uns alle. Versprich's mir in die Hand!«

Zitternd und verweint stammelte das Mädchen: »Ja, ich versprech's Euch, Mutter«, reuig überzeugt, dass sie es ewig halten werde.

Veronika wusste es besser. Sie ahnte, dass sie zu viel forderte. Noch vieles hätte sie zur Warnung sagen mögen, dem Kinde klarmachen, welche gefährliche Gabe es geerbt hatte. Aber machte nicht jedes

Wort zu viel, jedes Mehrwissen die Gefahr nur größer?

Da ging die Haustür. Sebastian kam heim und rief durch den Hausflur: »Seid ihr immer noch auf?« Veronika erwiderte, sie wollten gerade schlafen gehen. Ehe sie aus der Tür ging, sah Sabine das Gesicht der Mutter einen Augenblick ihr zugewendet, totenbleich, den Finger auf den Lippen, mit beschwörendem Ausdruck.

Erst später, als sie neben der friedlich schlafenden Katrin noch lange wach lag, fiel ihr ein sich über die letzte Gebärde der Mutter zu wundern. Wenn ihr vorwitziger Streich ein so ernstes Vergehen, wenn die Gefahr wirklich so groß war, warum sollte dann der Vater nicht davon wissen? Gerade er, der für sie alle der beste Schutz war.

3

Pater Friedrich an Pater Tannhofer:

den 7. Oktober 1627

Verehrter Freund und Vater!

Ihr wisst wohl, dass ich nicht als ein Neuling das Amt des Hexenbeichtigers in dieser Stadt übernommen habe, obwohl ich es zuvor noch kaum ausgeübt habe. Aber ich habe die Bücher der großen Hexenrichter von Grund auf studiert wie kaum ein anderer, auch viel über die Werke der Finsternis nachgedacht und Gebete hinaufgeschickt zu Gott, dass er einen

Lichtstrahl herabsende und uns zeige, wie das Dunkel zerstreut werden möge. Dennoch – Ihr werdet es wohl Feigheit nennen – bin ich der Begegnung mit dem Laster aller Laster de facto immer ausgewichen und habe es gern meinen Ordensbrüdern überlassen unter diesen Verlorensten aller armen Sünder Seelen zu retten. Trotz meiner Kenntnisse schien mir immer noch viel Unbegreifliches um diese Dinge zu sein, um das Laster wie um seine Bestrafung. Es gab Fragen, vor deren Beantwortung ich zurückschreckte. Hier aber, in dieser Stadt, kann ich nicht mehr ausweichen. Hier muss ich Rede stehen, ob ich will oder nicht.

Ich fand eine Anzahl bereits überführter und geständiger Malefikanten vor, einige schon verurteilt. Die meisten sind Frauen, aber bei weitem nicht alle, wie ich früher geglaubt habe. Eine Woche nach meiner Ankunft fand die erste Hinrichtung statt, der erste Brand, wie sie hier sagen. Doch werden wie fast überall heutzutage die Hexen gemeinhin mit dem Schwert gerichtet und ihre Leichname nachher verbrannt. Nur bei unbußfertigen Sündern oder etwa ganz besonders schweren Fällen gilt noch die alte grausame Strafe des Feuertodes. Doch sollen solche Fälle sogar hier selten sein und ich bete zu Gott, dass es so bleiben möge.

Die vier alten Frauen, die damals am 17. Juni als Erste einer langen Reihe ihre Strafe erleiden mussten, gaben mir schon ein treffendes Bild vom Seelenzustand der meisten Malefikanten. Zwei von ihnen waren arme Geschöpfe, denen Angst und Qual wohl ihr bisschen Verstand ganz geraubt hatten. Aus ihnen war kein klares Wort herauszubekommen. Auch in der Beichte plapperten sie nur herunter, was sie schon vor Gericht bekannt hatten: Ausfahrt auf Besen und Ofengabeln, Teufelsbuhlschaft, Schadenzauber an Mensch und Vieh. Sie beteuerten, das alles sei so gewesen, und sie bereuten es.

Die Dritte, die Gutbrodtin, eine alte, sehr reiche Bürgersfrau, redete kaum ein Wort. Gebrochen an Leib und Seele wartete sie nur auf den Tod. Doch war sie weder zum Beichten noch zu einem christlichen Gebet zu bewegen, so sehr war sie von Bitterkeit erfüllt. Einmal sagte sie, es sei ihr gewiss, dass nur ihr Geld sie ins Hexengefängnis und auf den Scheiterhaufen gebracht habe. Diesen verstockten Irrtum konnte ich ihr nicht ausreden. An ihrem letzten Tag fragte sie mich, ob man auch mit einer ungebüßten Sünde drüben auf Gottes Vergebung hoffen dürfe. Ich war froh über dies erste Zeichen von Reue und ermahnte sie ihr Gewissen zu erleichtern. Da fragte sie listig, was ich ihr wohl auferlegen würde, wenn sie mir eine schwere Lüge beichtete. Nun, die müsse sie selbstverständlich widerrufen und die reine Wahrheit sagen, erwiderte ich, vielleicht zu eilfertig. Denn sie antwortete höhnisch, diesen Bescheid habe sie von mir erwartet. Nein, danke, da wolle sie sich lieber auf Gottes Barmherzigkeit verlassen. Noch einmal die Folter – nein! So starb sie ohne Reue.

Die vierte Frau, die Witwe eines Ratsherrn Liebler, löste mir das Rätsel, das mir die Gutbrodtin aufgegeben hatte. Sie, die Lieblerin, setzte mich in Staunen durch die Fassung, mit der sie ihr Schicksal trug. Sie gestand mir, von der Hexerei verstände sie so viel wie

der Esel vom Harfeschlagen, habe aber alles eingestanden, was man ihr vorgesagt, weil sie habe einsehen müssen, dass anders kein Entkommen aus Ker-
ker und Folterqual sei. Der Tod sei das kleinere Übel.
Erschrocken beschwor ich sie doch nicht auf einem
falschen Geständnis zu beharren, ihre Richter nicht
so schwer ins Unrecht zu setzen. Sie sah mich seltsam an und erwiderte, da sei sie nicht die Einzige. Für
alle könne sie nicht einstehen, aber ganz sicher werde
es noch manchen geben, der sich auf solche Weise
den schnelleren Tod erkaufe. Ich solle sie doch nicht
von neuem auf die Folter bringen, indem ich den
Richtern ihren Widerruf mitteilte. Gott werde ihr
schon verzeihen, wenn sie mit dieser ungebüßten
Lüge zu ihm komme. Ich glaube nicht, mein Vater,
dass ich gegen meine Pflicht verstoßen habe, als ich
sie lossprach. Ja, ich versuchte sie von ihrer letzten
irdischen Sorge zu befreien. Sie hinterließ eine einzige Tochter, an der sie mit großer Liebe hing. Dennoch war ihr, als sie auf der Folter immer wieder
nach Mitschuldigen gefragt wurde, wider Willen, fast
ohne Bewusstsein, der Name der Tochter entfahren.
Vergeblich hatte sie versucht diese Anschuldigung
zurückzunehmen. Nun war das Mädchen in höchster
Gefahr. Sie flehte mich an es zu warnen und ihm zur
Flucht zu raten. Gern hätte ich ihr diese Bitte erfüllt.
Aber ich kam zu spät. Die junge Lieblerin war, schon
auf der Flucht, ergriffen und gefangen gesetzt worden. Ihr wisst wohl, dass der Versuch zu fliehen als
besonders schweres Indiz gilt. Was übrigens gilt
nicht dafür!

Das Wesen dieser vier Frauen ist mir in der Folge

immer wieder begegnet: tierisch dumpfe Angst, Verbitterung oder – selten – ergebene Fügung ins Unvermeidliche. Dass es unvermeidlich ist, wie die Dinge nun einmal liegen in der Welt zwischen Himmel und Hölle, das habe ich selbst unter Qualen mir zu Eigen machen müssen.

Fürchtet jedoch nicht, mein Vater, dass ich unzeitiger Schwäche nachgebend in Zweifel fallen könnte an meinem Amt und am göttlichen Auftrag der Malefizjustiz! Ich werde stark bleiben und um mehr Kraft beten und eines Tages den Mut finden sogar der Folter beizuwohnen. Denn sie, das habe ich erkannt, ist die stärkste Macht in diesem ganzen Verfahren und mehr noch die Furcht vor ihr. Sie bricht die verstocktesten Sünder und lockt die Geständnisse hervor, das reine Gold der Wahrheit, das zwar den leiblichen Tod, aber die Erlösung der Seele bringt. Ich muss und will mich bezwingen diesen grauenhaften Vorgang der Läuterung mitzuerleben. Wie anders soll ich begreifen, was in diesen Unseligen vorgeht!

Freilich wird mir mein guter Glaube an die gerechte Sache nicht leicht gemacht. Einmal, ganz im Anfang, habe ich mit meinem Mitbruder im traurigen Amt, dem Kapuziner Petri Kettenfeier, von meinen Bedenken gesprochen. Er lachte mich aus, wahrhaftig, er vermochte zu lachen! Da sollte ich nur ohne Sorge sein. Das alles sei schon von klügeren Leuten als uns beiden zu Ende gedacht worden. Niemals würde Gott Leiden und Tod von Unschuldigen zulassen und wenn es doch einmal dahin komme, so geschehe es gewiss in höherer Absicht. Ob ich mich vermessen wolle den Willen Gottes zu kennen? Er für sein Teil spreche keine Hexe ihrer Sünden los, ja, höre überhaupt ihre Beichte an, ehe sie sich nicht des Bundes mit dem Teufel schuldig bekannt habe. Danach habe noch keine vor ihm auf ihrer Unschuld beharrt, keine Einzige. Ihm aber küssten sie Hände und Füße für ein Gebet, ja, für ein gutes Wort. So und nicht anders müsse man mit dem Gesindel reden.

Mich entsetzt die rohe Auffassung unseres Amtes wie des ganzen Gegenstandes. Seither habe ich den Kapuziner nicht mehr ins Vertrauen gezogen. Meine Erfahrungen sind anders als die seinen. Noch habe ich von keiner der etwa fünfzig Hexen, denen ich den letzten Beistand leistete, ein offenes Schuldgeständnis gehört. Entweder schweigen sie ganz auf die entscheidende Frage oder sie wiederholen hirnlos und halb von Sinnen, was sie vor dem Richter ausgesagt haben. Viele aber bekennen mir das Gleiche wie die Lieblerin: das falsche Geständnis, die falsche Anschuldigung anderer, nur um sich den schnellen Tod zu erkaufen. Und alle flehen mich an nicht den Widerruf von ihnen zu fordern, sie nicht noch einmal der Folter auszuliefern. Könnt Ihr in Eurer Herzensgüte verstehen, dass ich sie alle lossprach?

Erschreckt nicht, mein Vater! Ich bin mir bewusst, dass dies nur die unvollkommenen Betrachtungen eines Menschen sind, der noch allzu wenig von der Sache weiß um sich ein Urteil erlauben zu dürfen. Hundertmal werde ich meine Erfahrungen prüfen und Euch ins Vertrauen ziehen, ehe ich irgendetwas daraus zu folgern wagen werde.

Inzwischen tue ich meine Pflicht, so gut ich vermag, und suche nicht nur die geistliche, sondern auch die irdische Not der mir Anvertrauten zu lindern. Oft bin ich unterwegs in den Gassen der Stadt und über Land um Angehörige zu trösten oder Botschaften zu überbringen. Auf einem dieser Gänge begegnete ich dem Arzt Sebastian Reutter, den ich während meiner ersten Audienz beim Bischof hatte nennen hören. Es geschah, als ich für ein zwölfjähriges Kind im Hexengefängnis, eben jenes, für das die Frau des Arztes damals vergeblich beim Bischof gebeten hatte, ein wenig warme Kleidung und Bettzeug erbitten wollte. Denn die Gefangenen müssen sich mit diesen Dingen von daheim versorgen lassen. Das Kind aber, dessen Prozess sich hinzog, lag nun seit Monaten im dünnen Hemd und Röckchen, wie es aufgegriffen worden war, auf dem bloßen Stroh. Die Muhme, bei der es gewohnt hatte, kümmerte sich nicht im Geringsten um sein Schicksal. Ich gedachte das hartherzige, vielleicht auch nur dumme Weib an seine Pflicht zu mahnen. In der armseligen Gasse, in die ich gewiesen worden war, traf ich den Arzt. Er wies mir den Weg, riet mir aber ab von diesem Weib irgendetwas zu erwarten. Der wahre Teufel, der Aberglauben heiße, sei in ihm verkörpert. Anscheinend hatte er schon seine Erfahrungen mit der Muhme gemacht. Denn er behielt Recht. Ich war schnell genug wieder draußen und er, der auf mich gewartet hatte, lachte mich auf liebenswürdige Weise aus. Dann sagte er, seine Frau könne gewiss das wenige, dessen das Kind bedürfe, aus Eigenem hergeben. Wir gingen zu seinem Hause am Fischmarkt.

Die Frau öffnete uns. Sie erkannte mich sogleich wieder, wie ich sie, ließ es sich aber nicht anmerken.

Darum tat ich wie sie. Während sie ging um auf Geheiß ihres Mannes ein wenig Leinenzeug und Kleidung zusammenzusuchen, führte er mich in seine Stube gleich neben der Haustür. Ich staunte. Es war die Behausung eines Gelehrten. Bücher füllten die Wände bis unter die Decke. Neben ärztlichen Instrumenten lagen Schädel und Gebeine von Mensch und Tier in den Borden. Ja, ein Mikroskop sah ich, wie sie es neuerdings in den Niederlanden herstellen.

»Ihr seid ja ein Gelehrter, Doktor!«, rief ich aus. Ich hatte ihn für einen gewissenhaften Arzt und nicht mehr gehalten. »Ich wäre gern einer geworden«, erwiderte er. »Zu Padua hab' ich einmal die Anatomie studiert und davon geträumt, an einer der großen Hochschulen in Frankreich oder in den Niederlanden der Wissenschaft zu dienen. Es war mir anders bestimmt. Ich führe den Kampf gegen die Finsternis auf meine Weise.«

»Ein guter Kampf, wenn Ihr damit den Teufel meint.«

»Den meine ich, nur sieht meiner vielleicht anders aus als der Eure, ohne Schweif und Hörner.«

Ich spürte die Gefahr der Lästerung und ließ mich auf kein Zugeständnis ein. »Lasst ihm nur die Schreckensmaske! Wer daran zu zweifeln beginnt, endet leicht mit dem Leugnen der höllischen Macht überhaupt. Vergesst nicht, dass auch diese Dinge, so altertümlich, ja lächerlich sie manchem scheinen mögen, Teil unseres heiligen Glaubens sind!«

»Missbraucht das Wort nicht!«, kam es scharf zurück. »Sagt lieber Nichtwissen! Unwissend und ohne Ehrfurcht urteilt man über Dinge, die man nicht versteht, weil sie dem menschlichen Geist noch ein Rätsel sind. *Noch* – denn eines Tages werden sie es nicht mehr sein. Aber sie zu enthüllen braucht Geduld und Wissen, nicht die Folter, Pater! Ihr seid ein Christ und ein denkender Mensch. Graut Euch nicht manchmal?«

Ich wagte nicht zu antworten, es wäre ein Ja geworden. Mich entsetzte die Klarheit, mit der dieser Mann das aussprach, was ich in Stunden der Anfechtung in mir niederkämpfte. Aber ich bezwang mich, mein Vater, und schwieg. Ich ließ mich nicht hinreißen das Gespräch fortzusetzen.

Die Frau sah zur Tür herein und sagte, sie hätte allerlei gefunden, aber das Bündel sei zu groß. Ich sollte mich nicht damit schleppen, sie werde es morgen durch einen Jungen zum Gefängnis schicken. Ich widersprach. Wenn die Gabe nicht in meiner Hand bliebe, sei es ungewiss, an wen sie geraten könnte. Bedürftig sei heute fast jeder, im Gefängnis und anderswo. Sie solle nur alles mir mitgeben. So werde das arme Kind schon heute Nacht, gewärmt von ihrer Barmherzigkeit, sanfter schlafen. »Mach das Bündel kleiner!«, riet ihr der Doktor bitter. »Viel braucht es wohl nicht mehr.«

Sie verschwand wieder. Der Arzt aber sah mich lächelnd an und fragte: »Ihr kennt sie schon?« Er wusste es also. Hatte ich ihr Benehmen gegen mich falsch gedeutet? »Ich weiß es nicht«, fuhr er fort, als erriete er meine Gedanken, »aber ich sah ihr Gesicht vorhin und eben jetzt. Sie kann sich nicht verstellen, jedenfalls vor mir nicht.«

Ich kam mir sehr töricht vor. Wie hatte ich dieser

61

Frau zutrauen können, dass sie ihrem Mann etwas verschwieg! Und was gab es denn zu verheimlichen an unserer ersten Begegnung? »Ich konnte ihr einmal in einer schwierigen Lage nützlich sein.«

»Wann war denn das und wo?«, fragte er verwundert und, wie es schien, ganz arglos. Ich trug keine Bedenken ihm unser Zusammentreffen beim Bischof zu schildern.

»Ach so.« Sein Lächeln war fort, sein Gesicht verdüsterte sich. »Ich fürchte, da wurde ihr kein guter Dienst geleistet. Ihr wisst, was sie vom Bischof wollte?« Als ich nickte, fuhr er fort: »Sie ist darin wie ein Kind. Sie glaubt, was sie wünscht und für richtig hält, müsste jedem einleuchten, sobald sie nur die rechten Worte findet. Und das traut sie sich nun einmal in jedem Falle zu. Zieht keine falschen Schlüsse, Pater!«

Die Spur von Argwohn in seinen letzten Worten kränkte mich, aber ich erwiderte, ein solcher Glaube an den Sieg des Guten sei doch lobenswert und sehr geeignet Gottes Macht in der Welt zu mehren. Davon wollte er jedoch nichts wissen. »Es ist Vermessenheit, ein Spiel mit dem Tod und Teufel!« Wieder trat die Frau herein und reichte mir ein handliches Bündel, das ich bequem an einem Strick über die Schulter hängen konnte. Wir traten in den Flur hinaus. Lautenspiel und Gesang von Mädchenstimmen klangen uns entgegen. »Unsere Töchter«, antwortete die Frau meinem verwunderten Aufhorchen.

Nun erkannte ich auch die Weise und verstand die Worte. Sie klangen mir nach, als ich mit meinem Bündel hinaus auf die dämmernde Gasse trat:

»Viel hunderttausend ungezählt
Da unter die Sichel hinfällt.
Rote Rosen, weiß Lil'gen,
die wird er austilgen.
Ihr Kaiserkronen,
Euch wird er nicht schonen.
Hüt dich, schön's Blümelein!«

Was alle Qual, die ich mitangesehen, alle Sorge und
Gedankenlast dieser Tage nicht vermocht hatten, tat
dies Lied. Mir kamen die Tränen.

Betet für mich, mein Freund und Vater, dass Gott
mir bald einen Weg zeige aus diesem Irrsal, das ich
kaum mehr nur eine Anfechtung zu nennen vermag.

Euer
P. Friedrich

4

Der fürstbischöfliche Rat Doktor Johannes Dürr
ging durch die mittäglichen Gassen heim von einem
Hexenverhor. Die Leute grüßten ihn scheu, denn obgleich noch jung, war er als Richter gefürchtet um
seiner gnadenlosen Strenge willen. Er kannte nichts
als seine Pflicht. Niemals hätte er auch nur den geringsten Teil seiner Obliegenheiten vernachlässigt,
zu denen jetzt eben auch die Hexenjustiz gehörte, gewiss nicht angenehm, aber notwendig. Wenn er nach
erfüllten Amtspflichten heimging, beschwerte sie

seine Gedanken nicht mehr als irgendeine andere Tätigkeit. Dass es an diesem Mittag anders war, merkte niemand ihm an, der ihn so dahinschreiten sah, einen zielstrebigen jungen Beamten Seiner Fürstlichen Gnaden, der es noch weit bringen konnte.

Er erreichte sein Haus in der Rosengasse, trat ein und stieg die Treppen zum Oberstock hinauf ohne sich wie sonst in der Küche zu melden, die Mutter zu begrüßen und nach dem Befinden von Frau und Kind zu fragen. Das alles hatte er vergessen. Als er die Stubentür hinter sich schloss, fiel die starre Würde von ihm ab, die er durch die Gassen zur Schau getragen hatte. Er warf den Hut achtlos auf einen Stuhl, ging am gedeckten Tisch vorbei zum Schreibpult am Fenster, setzte sich auf den Schemel davor und stützte den Kopf in die Fäuste.

Noch einmal erlebte er die letzte Stunde, das Hexenverhör in der halbdunklen Folterkammer, das Ächzen der Winde, das Stöhnen und Jammern, endlich die hohle Stimme aus dem gemarterten Körper, die ihn so vernichtend getroffen hatte: »Die Dürrin, ja, auch die Dürrin war dabei, die Alte!« Er hatte sich vergessen, erinnerte er sich voll Scham, hatte den Henker angeschrien und gefordert, er müsse das Weib zum Widerruf bringen, das sei eine Lüge. Erst das beklemmende Schweigen, das seinen Worten folgte, brachte ihn zur Besinnung. Dass gerade ihm ein solcher Verstoß hatte unterlaufen müssen! Wann je war in diesem Raum ein Geständnis Lüge genannt worden? Was unterschied diese Besagung von jeder andern, die zu Protokoll genommen und zur Grundlage einer neuen Verhaftung gemacht wurde? Aber das Verhör mit kalter Fassung zu Ende zu führen war eine Sache und eine ganz andere sich hier in den eigenen vier Wänden dem Grauenvollen gegenüber zu wissen: einer Hexe, die seine eigene Mutter war.

Sicher konnte sie ebenso gut oder noch eher eine sein als manche andere. Sie war boshaft, als geizig und zänkisch verschrien in der ganzen Stadt. Nur zu ihm selbst, zu ihrer Schwiegertochter und den Enkeln war sie immer gut gewesen, hatte sie in ihrer langen Krankheit gepflegt, nicht Mühen und Kosten gescheut. Aber – was bewies das? Solche scheinbare Fürsorge für ihre Opfer sagte man ja gerade den Hexen nach. Die Madlen lag seit Jahren siech, die beiden ersten Kinder waren bald nach der Geburt gestorben, ob das dritte am Leben blieb, wusste niemand.

Die Tür ging. Er sah sich nicht um, er wusste, jetzt kam sie herein mit der Suppenschüssel und ihrem betulichen Gerede, er möge doch tüchtig zulangen. Aber er wollte nicht essen, nichts von dem, was sie ihm zubereitet hatte. Wer konnte wissen, was drin war, was sie ihm vielleicht seit Jahren einflößte. Trotzig wartete er auf ein Wort, auf irgendetwas, was ihm einen Anlass geben würde ihr endlich die Meinung zu sagen.

Aber anders als sonst blieb es still. Dann hörte er einen ungewohnten Laut. War es wirklich ein Schluchzen? Wusste sie es am Ende schon? »Was ist denn?«

Er fuhr herum. Da heulte sie los, hoch und jämmerlich, die Schürze vor den Augen. »Das Büble!« Es lag im Sterben, das dritte! Er sprang auf. Für den Augenblick verschlug ihm der Schrecken jeden Gedanken. Aber schon seine Frage war voll Argwohn: »Wie hat denn das so plötzlich kommen können?« Sie fing gleich an sich zu entschuldigen. Die Frau aus Nussdorf habe doch schon vielen geholfen mit ihrem Räucherwerk, auch der Madlen einmal. Sie habe doch nicht wissen können, dass es diesmal so ausgehen werde. Voll Hass blickte er sie an: »Also doch Hexerei! Da hab' ich ja gleich zwei auf frischer Tat ertappt.« Ihr klaffte der Mund auf vor Schrecken. Wenn sie in ihrem Jammer auch die Worte kaum erfasste, den Blick verstand sie und schauderte zurück. An ihr vorbei ging er hinüber in die Kammer, wo die Wiege des Kleinen stand. Hilflos starrte er in das totenhafte Gesichtlein, das nur durch ein leises Röcheln noch Leben verriet. Die geweihten Kerzen qualmten, die Heiligenbildchen, die an den Pfosten der Wiege aufgehängt waren, pendelten hin und her. Ein schwerer Dunst hing im Raum. Dürr sog ihn missfällig ein und wollte etwas fragen. Aber die Mutter gab ihm durch Zeichen zu verstehen, dass die Madlen nebenan noch nichts wisse. Da winkte er sie mit einer heftigen Bewegung hinüber in die Wohnstube und nahm sie ins Verhör.

Weinend gestand sie, sie hätte heute Morgen die weise Frau aus Nussdorf kommen lassen, die durch Räuchern mit allerlei Kräutern schon oftmals Linderung bei Husten und Atemnot bewirkt habe, auch bei der Madlen. Dem Buben aber hätte es diesmal gar nicht angeschlagen. Dreimal habe die Frau ihn in den Rauch gehalten und fromme Sprüche dabei gesagt. Danach aber sei es so mit ihm geworden, wie es jetzt sei.

Er nickte in bitterer Befriedigung. Da war der klare Beweis, einerlei ob sie die Zauberei selbst vorgenommen oder eine andere dazu angestiftet hatte. Sinnlos, sie nach dem Namen zu fragen. Sie würde ihn nicht nennen, jetzt nicht – aber später. Oh, er wusste, wie man sie zum Reden bringen würde! Vielleicht gab es auch gar keine andere.

»Was ist denn, Hansel?«, fragte sie jammervoll. Sein Gesicht ängstigte sie. Er gab keine Antwort und ging ohne Mittagessen grußlos wieder ins Amt. Was auch daheim geschehen mochte, die Pflicht durfte nicht versäumt werden.

Gegen Abend starb das Kind und das Schicksal der alten Dürrin war besiegelt. Einen Augenblick lang, heute Mittag auf dem Heimweg, hatte er, schwach geworden, mit dem Gedanken gespielt sie zu warnen, vielleicht sogar fortzuschicken. Nicht weil er sie für schuldlos hielt! Der Gedanke konnte ihm nicht kommen. Es war ja seines Amtes jedes Geständnis, jede Besagung für Wahrheit zu nehmen. Ihn hatte nur irgendetwas daran gemahnt, was ein Sohn seiner Mutter schuldet, sie möge sein, wie sie wolle. Diese Anwandlung war ihm ganz vergangen, er erinnerte sich nicht einmal mehr daran.

Nur eins wollte er noch für sie tun, mochte sie es nutzen, wie sie konnte. Er wollte ihr vorschlagen nach Höchberg zu wallfahrten um für die Genesung der Madlen zu beten. Hatte sie Argwohn geschöpft und kehrte von der Wallfahrt nicht heim, nun gut, so hatte er seiner Sohnespflicht genügt. Kam sie aber wieder, so mochte die Gerechtigkeit ihren Lauf nehmen. Auf alle Fälle aber kam ihr die Madlen für ein paar Tage aus den Händen. Vielleicht war sie doch noch zu retten. Während unten im Haus die weinenden Mägde das tote Kind schmückten und einsargten und die kranke, junge Mutter ahnungslos schlief, saß Johannes Dürr bei der Kerze an seinem Pult und schrieb an den Doktor Reutter.

Der erschrak nicht wenig, als früh am nächsten Morgen der Amtsdiener an seine Tür klopfte. Dann aber las er mit Staunen den Brief des Fürstbischöflichen Rates. Veronika las über seine Schulter mit und wunderte sich noch mehr. Alles, was man in der Stadt von der todkranken jungen Dürrin wusste, fiel ihr ein: »Seit Jahren ist sie siech, zwei Kinder sind ihr gestorben und mit dem dritten geht's auch zu Ende. Sie selbst soll auf den Tod liegen. Dennoch haben sie nie einen Arzt geholt. Die alte Dürrin lässt keinen heran und hält es mit Zaubermitteln, sagen alle.«

»Das weiß ich alles. Jeder weiß es«, sagte Sebastian.

Stumm blickten sie einander an. Dann begann Veronika von neuem: »Und jetzt will er deinen Rat. Das tun viele und es bedeutet nichts. Aber bei ihm, dem Hexenrichter, ist das doch etwas anderes. Wenn du bedenkst, wie ungeheuer groß denen die Macht der Hexen erscheint, so groß, dass sie sich in Grausamkeiten überbieten, nur um des eigenen Wahns Herr zu werden, und da fängt einer an, an dieser Macht zu zweifeln, so sehr, dass er Hilfe bei der Wissenschaft sucht – könnte das nicht ein gutes Zeichen sein?«

Sebastian zuckte die Achseln. »Dann müsste es mir vor allem gelingen die Frau zu heilen.«

»Und warum nicht? Dir ist doch schon manche Heilung geglückt, an die keiner mehr geglaubt hat.«

»Das kann man nie voraussagen. Sie muss sehr krank sein, nach allem, was ich hörte.«

Dennoch machte er sich voll ungewisser Hoffnungen am nächsten Sonntagmorgen nach der Kirchzeit, wie er gebeten worden war, auf den Weg zum Hause des Richters.

Dürr empfing ihn in einer schönen, geräumigen Stube sehr freundlich. Doch schien er befangen, redete nur halblaut und blickte oft nach der Tür, als befürchte er eine Störung. Sebastian dachte an die alte Dürrin und unterdrückte ein Lächeln. Er konnte sich vorstellen, was die von seinem Besuch halten mochte. Seltsam zu denken, dass der gefürchtete Hexenrichter vor dem Zorn einer alten Frau zitterte!

Aber solche Gedanken lenkten ihn nur kurz von dem ernsthaften Gegenstand des Gesprächs ab. Dürr versuchte mit ungeschickten Worten den Verlauf der Krankheit zu schildern und was man bisher dagegen getan hatte. Er war anscheinend stolz auf die Summen, die er für weise Frauen und teure Wundermittel, aber auch für Messen, Wallfahrten und fromme Stiftungen aufgewendet hatte, leider ohne Erfolg. Sebastian fragte endlich, warum man so spät, erst heute, nach dem Tod des dritten Kindes, einen Arzt zu Rate ziehe. Dürr murmelte verlegen, die Mutter habe es nicht geduldet. Einmal sei der Stadtmedikus Mylius da gewesen. Der habe viel Latein geredet, aber auch keinen Rat gewusst. Seitdem habe die Mutter nichts mehr von den gelehrten Herren gehalten und die Sache selbst in die Hand genommen. Nun aber, da kein Mittel wirklich geholfen habe, sei der Doktor die letzte Hoffnung.

Sebastian verlangte die Kranke zu sehen, ehe er irgendetwas sage oder rate. Dürr führte ihn über den Flur zu ihr. Vor der Tür flüsterte er: »Sie weiß noch nicht, dass das Kind gestorben ist. Wir dachten, es wäre besser.« Sebastian nickte ihm zu und gewann um dieser Regung willen den strohtrockenen Burschen fast lieb. In der halbdunklen Stube, die der Ofen mit erstickender Hitze füllte, blickte zwischen den schweren grünen Bettvorhängen die Kranke wie ein ängstliches Vögelchen ihnen entgegen. Sebastian riss die Vorhänge am Fenster und die am Bett beiseite. Da sah er, was ihm den letzten Schimmer von Hoffnung raubte, den er noch gehegt hatte: die erschreckende Magerkeit der jungen Frau, die Röte, die das Volk Kirchhofsrosen nennt, auf den hohlen Wangen, die fieberglänzenden Augen. Da gab es nichts zu missdeuten. Noch einen Monat oder zwei, dachte er. Spätestens nimmt der scheidende Winter sie mit. Er fühlte den Puls der heißen trockenen Hand und hörte die kindliche Stimme: »Der Hans hat mir gesagt, Ihr macht mich gesund. Aber das sag' ich Euch, es darf nicht weh tun und nicht schlecht schmecken.«

»Nein«, erwiderte Sebastian ernsthaft, »das versprech' ich Euch.« Er fühlte einen dunklen Zorn gegen das alte Weib und ihren törichten Sohn, die nichts Besseres gewusst hatten, als dies junge Leben mit Quacksalbereien zu Grunde zu richten. Vielleicht wäre noch Rettung möglich gewesen, ganz im Anfang – vielleicht, sicher war es nicht. Er brauchte nicht viel zu fragen. Jede Antwort bestätigte ihm, was er befürchtete. Hier war nichts mehr zu retten.

»Bin so viel allein«, klagte die Kranke, »auch mein Büble bringen sie mir nicht und die Frau Mutter ist schon lang nicht mehr gekommen.«

»Sie tut eine Wallfahrt für dich, Madlen, das weißt du doch«, tröstete ihr Mann.

»Ja, ja, ich weiß. Aber mir wär's lieber, sie wär' hier bei mir und nicht nur die dumme Kathi, die immer heult und selbst nicht weiß warum.«

Sebastian lächelte ihr zu. »Sie wird schon wiederkommen. Bis dahin werdet Ihr die Tränklein nehmen, die ich Euch aufschreibe, etwas gegen den Husten und für einen guten Schlaf in der Nacht.« Er wollte dem Apotheker sagen, dass er nicht an Honig und feinen Gewürzen als Zutat spare, so werde die Arzenei wohl süß genug schmecken, dachte er.

Die Kranke lächelte zufrieden und voll Vertrauen, dass ihr also nichts Unangenehmes bevorstehe. Und dann war sie plötzlich eingeschlafen, wie ihr das aus Erschöpfung oft mitten im Gespräch geschah. Sebastian winkte dem Richter mit den Augen. Sie gingen leise hinaus.

Drüben in der großen Stube fragte Dürr sogleich: »Nun? Ihr habt noch Hoffnung?« Auch ihn hatten die tröstenden Worte getäuscht.

Sebastian antwortete nicht gleich. Er hätte manchen gerühmten Erfolg darum gegeben, wenn er hier, gerade hier, hätte Heilung versprechen können. Den Teufel Aberglauben in seiner eigenen Burg besiegen, ein Menschenleben aus den Klauen der Hexenkünste reißen und mehr noch, vielleicht viele dadurch retten, das war sein Traum gewesen. Einen Augenblick war er versucht den Richter bei seiner trügerischen Hoffnung zu lassen, wenigstens für kurze Zeit einen Triumph der Wissenschaft vorzutäuschen. Aber daran konnte er nicht im Ernst denken. Hier musste die Wahrheit gesagt werden.

»Es ist die Auszehrung. Sie frisst Mutter und Kinder. Ihr könnt nichts mehr tun als ihr die letzten Tage erleichtern und sie bei gutem Mut erhalten. Für alles andere ist es zu spät.«

»Aber was hätte man denn tun können?«

»Vielleicht nicht viel. Wir wissen noch wenig über diese Krankheit. Nur eins ist gewiss: Sie hätte niemals Kinder gebären dürfen.«

»Das ist Gotteslästerung. Es ist die Bestimmung der Weiber. Nie hat man gehört, dass sie dafür gestraft werden.«

»Es ist keine Strafe, auch nicht, dass die meisten von ihnen in Erfüllung dieser Bestimmung sterben. Das ist Gottes Wille, solange er unser Wissen nicht besser erleuchtet. Aber an der Auszehrung müsste nicht jeder sterben, so viel wissen wir. Ihr habt es nicht gewusst«, fuhr Sebastian milder fort, von Mitleid erfüllt. »Es ist auch nicht sicher, dass zur rechten Zeit ein Arzt hätte helfen können. Aber Ihr habt es gar nicht erst versucht. Der Aberglaube, in dessen Diensten Ihr steht, hat Euch im eigenen Haus besiegt.«

»Was wollt Ihr damit sagen?«

»Nichts weiter, als dass Ihr immer zu viel an Hexen geglaubt habt, an den Schaden wie an den Nutzen, den sie bringen können. Das hat sich nun gerächt, an Eurem Weib und Euren Kindern.«

»Also sind's doch die Hexen gewesen, ich wusste es ja!«

»Unsinn!«, vergaß sich Sebastian. »Begreift doch! Euer Weib ist nicht durch Zauberei krank geworden, sondern weil die Leute, die Ihr zu Rate gezogen habt, nichts von der Heilkunde verstanden, weil sie Kurpfuscher und Betrüger waren, nicht Hexen.«

»Was versteht Ihr davon!« Der Richter war auf vertrautem Gebiet und schlug einen andern Ton an. »Wollt Ihr etwa behaupten, die Hexen vermögen so etwas nicht? Es ist sogar bewiesen, dass sie hier die Schuld haben, sie allein – vielmehr eine.« Er flüsterte, nahe am Ohr des Arztes: »Mit eigenen Ohren hab' ich sie besagen gehört, im peinlichen Verhör: meine Mutter.«

Sebastian fuhr zurück. »Und was tut Ihr dagegen?«

»Was sollte ich tun? Besagung ist Besagung. Ich wäre ein schlechter Richter, wollte ich Ausnahmen machen. Auch liegt ihre Schuld ja klar vor Augen.«

»Warum habt Ihr dann noch mich rufen lassen?«

»Ich wollte Eure Meinung hören, nur über ihre Krankheit, sonst über nichts. Es hätte doch sein können, dass Ihr sie heilen könntet. Aber Ihr habt mir ja Recht gegeben.«

»Nein, das hab' ich nicht! Ganz und gar nicht! Aber vielleicht habt Ihr Eure Mutter schon gewarnt und in Sicherheit gebracht«, setzte er mit schwacher Hoffnung hinzu.

»Was traut Ihr mir zu!«, erwiderte Dürr mit einer Ruhe, die den Arzt entsetzte. »Wie stände ich denn da vor meinem fürstlichen Herrn und vor meinem eigenen Gewissen? Außerdem ist sie ja schuldig, des vierfachen Mordes, so bitter das zu sagen ist für mich, ihren Sohn.«

73

Sebastian schauderte. Er eilte fortzukommen. Die Arzneien werde er durch den Apotheker schicken lassen, sagte er, lehnte die Bezahlung ab und riet dem Richter unter der Tür noch die Kranke nichts von alledem wissen zu lassen. »Verschönt ihr die kurze Zeit, die sie noch zu leben hat! Schenkt ihr Heiterkeit!« Ob dieser Mann das vermochte? Wie gejagt eilte er die breite Treppe hinunter.

Als er aus der Tür trat, sah er die Dürrin die Gasse herunterkommen, eine kleine, alte Frau am Stock, Schuhe und Mantelsaum beschmutzt vom roten Lehm der Landstraße. Sie stutzte, als sie den Arzt erkannte und keifte los: »Was tut Ihr hier? So war das abgekartet! Mich schickt man drei Tage auf Wallfahrt, damit die gelehrten Pfuscher hier freie Hand haben. Wartet nur! Wenn der Madlen etwas zustößt, bekommt Ihr es mit meinem Sohn zu tun, der ist Hexenrichter, vergesst das nicht!« Schon erschienen an den Fenstern in der Nachbarschaft neugierige Gesichter.

Sebastian blickte die Alte voll Mitleid an. Sollte er sie warnen? Aber ihm würde sie nicht glauben. Sie ahnte ja nicht einmal, was der eigene Sohn ihr zutraute. Wie sollte sie begreifen, dass sie nichts so sehr zu fürchten hatte wie seine viel bewunderte Gerechtigkeit! Sebastian verneigte sich stumm, mit jener Art von Ehrerbietung, die er manchmal an Sterbebetten empfand. Sie galt weniger dem Sterbenden als dem größeren Herrn, dem der Arzt weichen muss. Die Alte starrte ihn dumm an, ärgerte sich und drängte sich in die Haustür. Sebastian hörte ihren Stock durch den Flur stampfen, während sie laut nach ihrem Sohn und den Mägden schrie. Eine Antwort hörte er nicht. Es war, als käme sie in ein leeres Haus.

Er hatte geglaubt das Grauen verlernt zu haben in den Pestjahren. Nun aber packte es ihn wie nie seitdem. Er lief fort aus der Nähe dieses unseligen Hauses, in dem sich Tod und Teufel um die Herrschaft stritten.

Veronika blickte erwartungsvoll von der Näharbeit auf, als er in die Stube trat. »Nun?«

Er setzte sich schwer atmend und schüttelte den Kopf. »Da ist keine Rettung. Die junge Dürrin stirbt und die alte lässt der eigene Sohn dafür als Hexe richten. Was ich auch sagte nahm er nur als Beweis für seinen Aberglauben. Da ist jeder Rat verloren. Diesen Menschen ist nicht zu helfen. Der Wahnsinn muss ausbrennen.«

5

Aus der Chronik des Malefizschreibers:

Es ist nicht auszudenken und war von keinem vermutet, wie weit ausgebreitet das gräuliche Laster in dieser Stadt ist. Sogar Frauen von Stande, vornehme Leut, um ihrer Frömmigkeit willen gerühmt, auch Männer und selbst geistliche Herren werden als Teufelsgenossen erkannt. So sind in den viereinhalb Monaten allhier in zwölf Bränden dreiundsechzig Personen mit dem Schwert gerichtet und hernach verbrannt worden,

darunter neben mancherlei armem und übel berufenem Volk
als namentlich Folgende:

Die Lieblerin, ein Ratspersonsweib,
Die Gutbrodtin,
Die Stierin, eine Prokuratorin,
Eine Bürgermeisterin, welch Mann noch im Gefängnis
liegt,
Die Burkhardtin, des Fürsten Leibsyndici Weib,
Die Baunachin und darauf auch
ihr Mann, der Ratsherr Baunach, der dickste Bürger der
Stadt,
Des Domprobst Vogt samt seiner Frau, so vornehme Leut,
Der Ratsvogt Gering,
Zwei reiche Kramer, der Hans Lutz und der Rutscher,
Junker Stenbocks Vögtin,
Frau Kanzlerin von Eichstätt, eine dicke, feiste Frau, de-
ren Tochter, so noch ledig, auch gefangen liegt, ein schönes
Mensch,
Junker Mengersdörffers Vögtin, so gangen ist wie eine vom
Adel, ist auch ein jung, schön Mensch gewesen.
Ein jung Mägdlein von zwölf Jahren,
Eine Bäckin, gar ein reich Weib,
samt einer verehelichten Tochter
und einer, welche noch inliegt und unverheiratet.
Ein Dompfaff, welchem die Weihen genommen.
Der Tungersleber, ein vornehmer Spielmann, von
Fürsten und Herren viel gebraucht.
Ein Sackpfeifer.

Es ist am Gericht dieser Tage ein großes Gerede darüber, dass
die alte Dürrin, des Doktor Dürren Mutter, ist gefänglich eingezogen worden, ein gar böses Weib, das jedermann fürchtet.
Sie soll durch Jahre ihre Schwiegertochter mit giftigen Tränken

76

*und Zaubermitteln vergeben haben, so dass sie ganz siech ge-
worden, auch ihre drei Enkelkinder zu Tode gebracht. Dabei
ist sie so listig verfahren, dass kein Mensch, auch der Doktor
Dürr nicht, einen Verdacht gehabt, bis er mit eigenen Ohren
hat hören müssen, wie sie von ihren Mithexen ist besagt worden. Wie dann die Stadtknechte gekommen sind, hat die junge
Dürrin gerade im Sterben gelegen. Der Doktor ist nicht von
ihr gewichen und hat sich nicht sehen lassen, so laut die Alte
auch um Hilfe geschrien hat. Er hat auch später nicht interve-
niert oder durch eine Supplicatio bei Seiner Fürstlichen Gnaden, wie es ihm doch ein Leichtes gewesen, Fürsprach eingelegt.
Darauf aber hofft die Alte und vollführt im Gefängnis ein gar
gräulich Unwesen mit Schimpfen und Drohen, derart, dass
man noch nicht gewagt hat sie zum Verhör zu führen um grobe
Ungebühr zu vermeiden. Der Fürstbischöfliche Rat Doktor
Faltermeier hat ihren Prozess übernommen. Doch soll der
Dürr gesagt haben, die Rücksicht wäre nicht vonnöten gewesen.
So es um solche Verbrechen gehe, da sei er nur Richter, weiter
nichts, und vermöge zu urteilen ohne Ansehung der Person.
Viele Leute sagen, das sei eines wahren Richters würdig gesprochen, manche aber tadeln ihn auch. Es sei nicht gut, die
eigene Mutter zu verleugnen, sie sei wie sie wolle. Vielleicht hat
aber auch der Doktor Burkhardt die Hand im Spiel, des Fürsten Leibsyndicus. Der war mit dem Dürr früher gut Freund.
Seit aber im Sommer die Burkhardtin ist als Hexe gerichtet
worden, sind sie Feind miteinander. Es heißt, dass der Burkhardt den Richter nächtlicherweil besucht soll haben um für
sein Eheweib zu bitten. Der Dürr wird ihm in der Weise ge-
antwortet haben, wie man sie nun an ihm kennt, und das wird
der Syndicus ihm nimmermehr verzeihen. Seit aber die Dürrin
gefangen sitzt, grüßt er den Richter wieder, steht ihm oftmals
im Wege und blickt ihn seltsam an. Ob sie miteinander reden*

und was, weiß keiner. Aber der Burkhardt wird wohl Acht geben, ob der Dürr gegen die Seinen ebenso streng verfährt wie gegen seine Freunde. Selbst wenn der Richter wollte, könnte er nichts für seine Mutter tun, ohne dass der Burkhardt es merkt. Aber ich glaube, er will es gar nicht.

Totentanz

1

Wieder wurde es Sommer und der Hexenspuk ging
nun ins zweite Jahr. Dazu kam der Krieg näher. Rau-
chende Dörfer und flüchtende Bauern vor den Stadt-
toren kündigten ihn an. Wallenstein'sche Regimenter
durchzogen das Stift. Ob sie gleich Verbündete waren
und freigebig Schutzbriefe ausgestellt hatten, konnten sie doch ihre Art nicht verleugnen. Die Ängste
wuchsen von allen Seiten.

Der junge Franz von Herzeller aber ergriff die Gelegenheit zu einem kurzen Besuch ins Elternhaus ein-
zukehren. Vor drei Jahren war er zum Heer gegangen
und in einem der neu aufgestellten Regimenter Kornett geworden. Nun, da er unvermutet wieder in die
Heimat kam, lud er ein paar Kameraden zu einer lusti-
gen Rast auf dem schönen Adelshof in der Bronnba-
cher Gasse ein. Mit ihm kam sein Jugendfreund, der
Bäckerssohn Christoph Bentz, der mit ihm ausge-
rückt und als sein Reitknecht unzertrennlich von ihm
war. Sie konnten beide nicht ahnen, wie verwandelt
sie ihre Vaterstadt finden würden.

Dennoch hieß die Herzellerin ihren Sohn und seine
Gäste großzügig willkommen und hatte so viele Vorbereitungen zu festlicher Bewirtung getroffen, wie sie
die gegenwärtige Notlage nur irgend erlaubte. Sogar
eine Gasterei mit Musik und Tanz wollte sie geben
und hatte dafür schon die Genehmigung erwirkt.

Dem Sohn aber vertraute sie an, wie wenig ihr selbst und den Leuten hier überhaupt nach Festen zu Mute war. Ihr Mann war vor mehr als einem Jahr gestorben. Das bekümmerte den Sohn umso mehr, als er damals im Zerwürfnis mit dem Vater fortgegangen war, weil der ihm die Liebelei mit einer schönen Bürgerstochter hatte verbieten wollen. Nun hatte er ihn nicht mehr versöhnen können. Außerdem setzte die Mutter ihm zu, er solle den Abschied nehmen, heimkehren, heiraten und die Verwaltung der Güter übernehmen. Die werde ihr zu beschwerlich, zumal bei den Kriegsabgaben und auch sonst unerfreulichen Zeitläuften. Nichts gedieh mehr. Drei Sommer lang hatten die Hexen mit ihrem Wetterzauber Korn und Wein verdorben, als sei es an Pestilenz und Viehsterben nicht genug. Sie sehnte sich danach, die Last der Geschäfte in jüngere Hände zu geben.

»Was habt ihr hier nur mit den Hexen?«, fragte der Franz neugierig. Beim Eintritt ins Stadttor war ihnen ein hässlicher Zug begegnet, ein Karren, beladen mit Jammergestalten, im Gefolge von Amtspersonen, Henker und Stadtknechten. »Gibt's denn hier so viel mehr davon als anderswo?«

Die Mutter winkte mutlos mit der Hand. Da sei kein Ende abzusehen. Das sei das Schlimmste trotz Hungersnot und Kriegsgefahr. Fürstliche Gnaden würden trotz größter Strenge des Unwesens nicht Herr. »Dabei scheinen ihrer immer nur mehr statt weniger zu werden. Es geht in die Hundert, die schon gerichtet sind, und es heißt, dass neuerdings auch geistliche Herren und sogar der Adel nicht verschont bleiben. Man weiß kaum, mit was für Leuten man umgehen und noch konversieren soll. Auch deine Babelin von damals soll schon besagt worden sein. Da siehst du, wie Recht Vater hatte dich zu warnen!«

Der Franz antwortete nicht. Er hatte das Mädchen fast vergessen gehabt, über das er sich damals mit dem Vater entzweit hatte. Jetzt erst war ihm ihr Name wieder eingefallen. Er berührte ihn wider Erwarten schmerzlich. Ob sie wirklich eine Hexe war? Dann musste sie sich sehr verändert haben oder jedes hübsche Mädchen konnte eine sein – jedenfalls in dieser Stadt. Schlechte Aussichten für das Vergnügen der Kameraden!

Mutter und Sohn beendeten ihr Gespräch, es wurde zur Tafel gebeten. Die Mahlzeit verlief fröhlich und gesittet, denn die Gäste wussten es zu schätzen, nach dem rauen Lagerleben wieder einmal an einem gedeckten Tisch von edlem Tafelgerät zu speisen und sich in Gegenwart einer vornehmen Hausfrau als das zu fühlen, was sie von Haus waren – oder gern sein wollten: Herren von edler Abkunft. Einzig der Catalani, der freche Italiener, hegte angesichts des vielen Silbers auf dem Tisch unziemliche Gedanken. Als er gar zu deutlich seinen eben geleerten Becher in der Hand wog und von allen Seiten besah, stieß ihn sein Nachbar unter dem Tisch an. Grinsend stellte er den Becher zurück, aber sein Blick über die Tafel verriet: Hier möchte ich noch einmal herkommen, nicht als Gast!

Bald ließ die Frau des Hauses die Herren beim Trunk allein. Da stahl sich auch der Franz hinaus, warf den Mantel über und schlich durch Nebengassen und zwischen Gartenhecken hin den wohl bekannten Weg zum Hause des Schreinermeisters Göbel, dessen einzige Tochter die Babelin war. Es lockte ihn nur, redete er sich ein, zu sehen, ob sie sich wirklich so sehr verändert habe, oder was anders werde an einem Mädchen, das sich mit dem Teufel einlasse – Neugier, nichts sonst. Er kannte den schmalen Steig durch den Krautgarten und zwischen den Holzstapeln im Hof zur Küchentür, die in der feuchten Frühsommernacht offen stand.

Drinnen brannte ein trübes Licht. Das Schwirren eines Spinnrads war zu hören und leise Stimmen, dann der Klang einer Laute. Eine Jünglingsstimme begann zu singen, kunstlos, ein wenig rau. Aber der Anschlag der Saiten verriet Kraft und Meisterschaft. Die Stimme sang:

»Was heut noch grün und frisch dasteht,
Wird morgen weggemäht,
Die edle Narzissel,
Der himmlische Schlüssel,
Die schön Hyazinth,
Die Türkische Bind.
Hüt dich, schön's Blümelein!«

Eine Mädchenstimme, die der Lauscher kannte, lachte leise und rief: »Sing doch nicht immer vom Tod, Hans! Fällt dir denn gar nichts Schöneres ein?«

»Tut mir Leid, Babelin«, erwiderte die Stimme des Sängers, »aber was sonst soll man singen in dieser Stadt! Mich lässt das Lied nicht mehr los, seit ich's gehört hab'. Ich hab' sogar eine neue Begleitung dazu gemacht, aber das hast du gar nicht gehört. Ist auch nicht wichtig. Du solltest aus einem andern Grund auf dies Lied hören, Babelin!«

»Ach, Unsinn! Ich hab' nichts zu fürchten.«

»Wenn du mir doch glaubtest! Noch ist Zeit. Ich würde mit dir gehen, wohin du nur willst.«

»Wenn ich das täte, würden alle von mir das Schlimmste glauben. Nie wieder könnt' ich heim. Und was für ein Paar wären wir! Ein davongelaufener Student und ein Mädchen mit schlechtem Ruf, dem allerschlechtesten, den es gibt.«

»Ja, ich bin noch nichts und habe nichts, darum glaubst du mir nicht. Da müsste wohl ein anderer kommen. Was sagst du zum Franz Herzeller? Der soll ja wieder daheim sein.«

Das war nicht ohne Spitze gesprochen und zum ersten Mal klang die Entgegnung gereizt: »Sei doch still! Der müsste ja ein Narr sein, wenn . . .«

»Wenn was?«

Da konnte der Lauscher nicht länger schweigen. »Hier ist der Narr!«, rief er und trat in die Tür.

Die beiden drinnen schrien leise auf. Dann lachte das Mädchen. »Du hast uns behorcht, Franz, das ist nicht fein!« Sie schob das Spinnrad beiseite und reichte ihm die Hand.

»Willkommen daheim, Franz!«, sagte sie schlicht. Der Lautenspieler saß etwas entfernt auf einem Schemel, die Hände um sein Instrument geschlungen, mit finsterem Gesicht, unsicher, ob er bleiben oder gehen, sich trotzig oder unbefangen zeigen sollte.

Babelin entschied für ihn. Sie sagte freundlich: »Das ist der Johannes Schwegler, Student der Rechte und ein vortrefflicher Musikus, wie du wohl gehört haben wirst.« Der Herzeller gab das höflich zu und dann standen die drei voreinander und wussten nichts mehr zu sagen.

Der Herzeller dachte, sie ist nicht anders als sonst, nur noch schöner, eben ganz erwachsen geworden. Seltsam, dass sie noch nicht geheiratet hat. Vielleicht erlaubt das der Teufel nicht? Dann aber meinte er, sie sollten doch wohl lieber die Tür schließen. »Denn was ich hörte, könnte jeder andere auch gehört haben.« Der Student ging hin, warf die Tür ins Schloss und lehnte sich mit trotziger Miene dagegen, entschlossen entweder alles zu leugnen, was dieser Eindringling da gehört haben wollte, oder sich dafür zu schlagen.

Der Herzeller aber wollte keinen Streit. Er setzte sich und fing ganz bescheiden an: »Verzeih Er, wenn ich's hörte. Mir scheint, Er glaubt, dass die Jungfer in irgendeiner Gefahr ist, und will sie überreden fortzugehen. Was ist der Grund?«

»Es ist zwar Unsinn«, erwiderte die Babelin böse, »aber sag's ihm, Hans!«

Der Schwegler wollte nicht. Es sei schon gefährlich, dergleichen offen auszusprechen. Schließlich redete das Mädchen selbst: »Ich soll als eine Hexe besagt worden sein und er will, dass ich mit ihm aus der Stadt fliehen soll.« Sie sagte es leichthin, die Achsel zuckend.

Der Schwegler verlor seine Scheu und setzte hinzu: »Sie ist in höchster Gefahr und will's nicht wahrhaben.«

»Wer unschuldig ist, hat nichts zu fürchten, sagt mein Vater immer.«

»Ist das nicht die Wahrheit?«, fragte der Herzeller den Studenten. »Wenn sie doch unschuldig ist . . .«

»Sie ist es!«, unterbrach ihn der Schwegler heftig. »Aber viele waren es und es hat ihnen nichts geholfen. Wen sie kriegen, der kommt auf die Folter, und da gesteht er alles, was sie wollen. Freigesprochen ist noch keiner worden.«

»Was kann man da tun?«, fragte der Herzeller den Studenten, so als sei die Babelin nur als stummer Gegenstand ihrer schützenden Fürsorge vorhanden.

»Sie muss fort aus der Stadt, so heimlich und so schnell wie möglich. Jedes Elend ist besser als der Tod. Aber mir glaubt sie's ja nicht.«

Ihm glaubt sie's nicht, dachte der Herzeller, ob aber mir? Und ehe er sich besann, hatte er die Frage gestellt.

Sie fuhr hoch, zornige Tränen in den Augen. »Was denkt ihr Mannsleute denn von mir? Nur weil ich in Verdacht sein soll. Ich renne nicht auf die Landstraße, nicht mit einem Studenten und mit einem Soldaten schon gar nicht. Lieber . . .« Aber das konnte sie doch nicht aussprechen und schlug schaudernd die Arme um die Schultern.

Der Herzeller trat zu ihr und sagte ernst: »Ich würde dich – nun ja, heiraten. Unser Feldkaplan hat schon manches Paar getraut.« Dabei dachte er: Das hab' ich gar nicht vorgehabt. Was ist nur heut in mich gefahren? Aber anders geht's doch nicht und ich kann sie doch nicht diesen Kreaturen überlassen, den Priestern, Juristen und Folterknechten.

Sie antwortete nicht. Vielleicht begriff sie in diesem Augenblick, als der Herzeller so viel zu ihrer

Rettung aufbot, erst ganz, wie groß die Gefahr wirklich war. Sie zitterte und war ganz bleich geworden.

Der Herzeller fasste ihre Hand und sagte lachend um der Sache ein lustig tollkühnes Ansehen zu geben: »Nicht wahr, Herr Rechtsgelehrter, es gibt doch so einen Brauch aus alten Zeiten: dass jeder arme Sünder, ob Mann oder Weib, straflos ausgeht, wenn er unter dem Galgen weggefreit wird?«

Der Schwegler konnte sich an so etwas erinnern, wünschte aber, der Herzeller hätte das lieber nicht gesagt. Die Babelin fand das wohl auch, denn sie zog ihre Hand fort und sagte mit gefrorenen Lippen: »Es gibt auch einen andern alten Brauch, mein Vater redet oft davon: Wer dreimal die peinliche Frage übersteht ohne Geständnis, muss freigesprochen werden.«

»Darauf verlass dich lieber nicht!«, warnte der Herzeller und der Student rief: »Ja, so steht's in der Carolina, aber das gilt heut nicht mehr, im Gegenteil. Wer nicht gesteht, wird lebendig verbrannt, als unbußfertiger Sünder.«

Diese Worte fand nun wieder der Herzeller unnötig grausam. Aber die Babelin hatte ihre schöne Ruhe wiedergewonnen, wenigstens äußerlich. Sie erbat sich Bedenkzeit. »Bis morgen um die gleiche Stunde.« Der Herzeller willigte ein, obgleich der Schwegler widersprach, das könnte schon zu spät sein. Morgen, dachte der Herzeller, ist das Fest bei uns und die beste Gelegenheit einen tollkühnen Plan auszuführen. Ich muss es mit den Kameraden besprechen und dann hab' auch ich noch Bedenkzeit. »Gut, auf morgen!«, sagte er und die Babelin leuchtete den beiden zur Haustür hinaus auf die Gasse. Vor dem Tor des Herzellerhofes traf Franz den Christoph Bentz, der sich mittags verabschiedet hatte um zu Mutter und Schwester in die Vorstadt hinauszugehen. Nun lehnte er hier im Dunkeln an der Mauer und Franz redete ihn munter an: »Schon zurück? Nicht willkommen gewesen bei Mütterchen? Umso mehr hier! Komm mit, es gibt was zu feiern!«

Aber der Christoph hielt ihn zurück und flüsterte: »Das Haus war verschlossen und versiegelt. Ich musste die Nachbarn fragen. Sie sind verbrannt worden, die Mutter und beide Schwestern. Als Hexen – als Hexen!« Die letzten Worte schrie er fast heraus.

Den Herzeller schauderte es. Da war es leibhaftig nah, das Unheimliche, von dem er bis jetzt nur hatte reden hören. Vielleicht hätte es ihm selbst so gehen können bei der Babelin, wäre er nur ein paar Tage später gekommen. Er zog den Freund ins Haus, überredete ihn sich niederzulegen, wenn er auch wohl kaum Schlaf finden werde, und ging zu seinen Gästen.

Die fand er in ausgelassener Stimmung und schon ziemlich betrunken vor. Sie hatten dem Diener die Schlüssel abverlangt und dem Weinkeller des seligen Herzeller einen ausgiebigen Besuch abgestattet. So waren sie ganz dazu aufgelegt, den Plan des Kornetts großartig zu finden und begeistert ihre Hilfe anzubieten. Fast zu begeistert, dachte der Herzeller. Sie fassten das ganze Unternehmen sehr anders auf, als er es sich gedacht hatte, als einen tollen Streich zu ihrer aller Vergnügen. Nun, mochten sie! Erst einmal brauchte er ihre Hilfe, und nötiger, als er gedacht hatte. Denn er hatte von dem jungen Rechtsbeflissenen erfahren, dass die Stadttore bei Tag und Nacht streng bewacht wurden und der Fluchtversuch einer verdächtigen Person zu alsbaldiger Verhaftung berechtige. Die Entführung musste sowohl heimlich als überraschend und schnell vor sich gehen, gedeckt von ein paar waffengeübten Männern.

Das Fest am nächsten Abend, beschlossen sie, werde genug Gelegenheit geben die Wachsamkeit der Stadtknechte zu binden, so dass der Herzeller mit seinem Mädchen unbemerkt entkommen könnte. Vielleicht, hofften einige, werde sich auch für sie irgendeine liebreizende Hexe finden, die sie auf diese Weise dem Gericht entziehen könnten. Denn im Feldlager, darüber waren sie sich einig, könnte einem Mädchen alles Mögliche zustoßen, nur nicht die Verurteilung durch ein Hexengericht.

Als Franz am nächsten Morgen auf einer Bank im Saal erwachte, stand seine Mutter vor ihm und hielt ihm mit strengem Gesicht einen Becher hin. »Da! Trink das, damit du wieder klar wirst im Kopf!« Er gehorchte. Es schmeckte bitter, ganz nach der Mutter Hausapotheke. Aber es half und dann nahm sie ihn ins Gebet. »Wo warst du gestern Abend? Bei ihr, nicht wahr? Und du hast etwas vor mit ihr?«

Ihn packte der Trotz. War er nicht schon seit manchem Jahr erwachsen, dazu kaiserlicher Offizier? »Nun gut, damit du's weißt, ich will sie mitnehmen und heiraten.«

Die Herzellerin seufzte. »Es wär' schon schlimm genug und ich müsste für dein Heil beten, wolltest du sie nur mitnehmen. Aber heiraten! Nicht nur dass sie von gemeinem Stande ist, schlimmer, sie ist eine Hexe.«

»Wer sagt das? Unschuldig ist sie in Verdacht geraten.«

»Und wer sagt dir das? Es sind schon Leute für schuldig befunden worden, denen man es weniger zugetraut hätte als ihr, gerade ihr. Vier oder fünf Personen haben bezeugt, dass sie beim Hexentanz gewesen ist. Da muss doch was dran sein.« Er brummte ablehnend. Aber ein Stachel war zurückgeblieben. War er am Ende zu leichtgläubig gewesen? Hatte sie ihn gestern Abend auf irgendeine Weise betört? Er hatte sich ja schon über sich selbst gewundert. Er schüttelte die lästigen Gedanken ab und ging sich um den Christoph zu kümmern. Der saß ganz verstört da und murmelte, den Kopf in den Händen, immer wieder das Gleiche: »Wenn ich's nur wüsste! Beim Hexenwerk soll sie gesehen worden sein. Bei welchem nur, möcht' ich wissen. Sie war die fleißigste Frau in der Stadt, hat die Bäckerei wieder hochgebracht nach dem Tod des Vaters. Wann hätte sie Zeit gehabt für solchen Unfug? Viele sind ihr neidisch gewesen. Aber das allein kann's doch nicht sein. Wenn ich's nur wüsste!«

Vom Christoph, das sah der Franz ein, konnte er weder Anteilnahme noch Hilfe erwarten für seinen Plan. Der musste erst wieder er selbst werden und dabei konnte ihm keiner helfen. Er ließ ihn allein und stieß im Flur auf einen Diener, der ihn holen sollte. Der Herr Dompropst sei gekommen. Missmutig folgte der Herzeller. Musste die Mutter während dieser kurzen Zeit daheim auch noch Fremde einladen!

Er begriff sogleich, warum. Der Dompropst kam nach ein paar höflichen Fragen schnell auf die besonderen, so unheimlichen Verhältnisse in dieser Stadt zu sprechen: »Wer in den letzten zwei Jahren nicht hier gelebt hat, der kann nicht wissen, wie tief die allgemeine Verderbnis ist und wie groß die Gefahr für allzu Arglose in verständlichen Irrtum zu verfallen. Es ist dringend davor zu warnen, verdächtigen Personen in irgendeiner Weise nahe zu kommen oder gar ihnen Vertrauen zu schenken, mein wertgeschätzter junger Freund!«

Was denn ein Verdacht bedeute und ob jeder, der hineingeriete, auch für schuldig befunden werde, fragte der Herzeller zwischen zornigem Erröten und Unbehagen.

Der Dompropst wiegte das Haupt. »Das heißt sehr geradezu gefragt, junger Freund. Irren ist menschlich, das will ich nicht bestreiten. Bedenkt indessen: Seit mehr als einem Jahr haben die besten und gelehrtesten Richter in dieser Stadt mehr als hundert Personen der Hexerei überführt und verurteilt. In anderen Städten und Fürstentümern ist es ebenso. Nicht nur Hunderte, Tausende sind während der letzten Jahre allein in deutschen Landen wegen Hexerei gerichtet worden. Wagt Ihr zu behaupten, so viele Richter hätten Fehlurteile gefällt? Nun, seht Ihr!«

Das war in der Tat das erste Argument, das dem Herzeller einleuchtete. Als der geistliche Herr, mit ergebenen Empfehlungen an die Frau Mutter, gegangen war, blieb er ganz verstört zurück, unempfänglich für die Neckereien der Kameraden, die ihn den

Bräutigam wider Willen nannten. Als er sie endlich aufgebracht schweigen hieß, sagte der Catalani lachend: »Ihm kehrt die Vernunft zurück!«

Sie waren den ganzen Tag mit den Vorbereitungen für ihr Fest beschäftigt, wiesen ihre Dienerschaft an dies und das zu besorgen, Musikanten zu bestellen und die Einladungen in der Stadt herumzutragen. Es waren nicht viele, die eingeladen werden konnten, gemessen an dem, was sich früher bei solchen Gelegenheiten im Herzellerhof versammelt hatte. Die Auswahl war nicht mehr groß. Die wenigen Adelsfamilien hatten sich, sofern sie es irgend konnten, auf ihre Schlösser oder auf die von Verwandten zurückgezogen, der unbekömmlichen Luft in der Stadt wegen. Von den Übrigen schied für die Herzellerin jede Familie aus, von der irgendeiner wegen Hexerei verurteilt worden war. Mit solcherlei Leuten wünschte die edle Dame nun einmal nicht zu »konversieren«. So blieben nicht viele mehr übrig. Man musste Bürgerliche laden, ein paar Ratsherrensöhne und ein knappes Dutzend hübscher Mädchen. Unter denen waren die Doktorstöchter und auch die Göbel Babelin, die der junge Herzeller durch den Studenten besonders einladen und von seinem Plan unterrichten ließ. Sie sollte von dem Tanz im Herzellerhof nicht mehr nach Hause zurückkehren.

Schweigend nahm sie alles hin, legte ihren Feststaat zurecht, tat ihre Hausarbeit und versorgte den Vater ganz wie sonst ohne sich etwas anmerken zu lassen. Denn der Vater durfte nichts wissen. Er war ein eigenwilliger und versponnener Mann, noch eigenwilliger und versponnener, seit ihm Frau und

Kinder an der Pest gestorben waren bis auf diese eine schöne Tochter. Viel tat er sich auf seine Kenntnis alter Rechtsbräuche zugute und auf die eigene strenge Redlichkeit. Was er ihr raten würde, wenn sie ihn fragte, wusste die Babelin im Voraus: sich dem Gericht stellen, damit ihre Unschuld erwiesen werde. Flucht sei allemal das Eingeständnis eines bösen Gewissens. So hatte er sich in anderen Fällen schon vernehmen lassen. Bis gestern hatte sie ihm geglaubt, nun wusste sie es besser. Ihr Entschluss war gefasst. Der Schwegler hätte nicht immer wieder kommen und sie mahnen müssen fest zu bleiben.

Noch einer kam. Der erste Geselle in ihres Vaters Werkstatt war schon lange verliebt in sie, wagte aber nicht um sie anzuhalten, weil der alte Göbel, wie jedermann wusste, auf einen reichen Schwiegersohn aus war. Er musste wohl etwas erlauscht haben oder auch gespürt mit dem Argwohn der Eifersucht. Er kam zu Babelin in die Küche und fragte fast drohend, was sie vorhabe.

Sie sagte es ihm. Er schnaubte spöttisch: »Wenn er's nur ehrlich meint, der Herr Offizier!«

»Mir bleibt keine Wahl«, sagte die Babelin.

»Doch bleibt dir eine. Ich biete dir das Gleiche an.«

»Das hab' ich auch schon getan«, rief der Student eifersüchtig.

»Aber sie will ja nur den Herzeller.«

»Das Gleiche«, fuhr der Geselle fort. »Aus der Stadt kann ich dich auch bringen und der nächste Dorfpfarrer hinter der Grenze soll uns trauen. Als Schreiner find' ich überall mein Fortkommen.«

Das Mädchen sah die beiden mit nassen Augen an. »Ihr beide würdet zu viel wagen. Euch das Leben verderben, euch heimatlos machen, das will ich nicht. Der Herzeller wagt nichts dabei.«

»Eben! Drum trau' ich ihm nicht«, sagte der Geselle.

»Das kannst du halten, wie du willst. Ich trau' ihm.«

Danach war nichts mehr über den Plan zu sagen. Nur der Johannes Schwegler gab es noch nicht auf. »Du willst keine Hilfe von uns, brauchst sie wohl auch nicht. Aber wir gehen heut Abend mit, als deine Brautführer, wenn du willst. Es soll jemand in der Nähe sein, wenn du Hilfe brauchst. Eingeladen sind wir ja nicht. Wir werden auch nur am Tor warten und erst heimgehen, wenn wir wissen, dass du in Sicherheit bist.«

Sie wurde rot, diesmal nicht vor Zorn, und fand keine Antwort. Gleich nach dem Abendläuten machten sie sich zu dritt auf den Weg, Babelin in der Mitte zwischen ihren Beschützern. Vom Herzellerhof schallte ihnen die Musik schon von weitem entgegen. Die Musikanten waren in großer Zahl eifrig herbeigeeilt und taten ihr Bestes. Denn ihr Brot war karg geworden, seit alle öffentlichen Lustbarkeiten und bei den häuslichen jeder Aufwand verboten waren. Heute gab's eine Gelegenheit fast wie in alten Zeiten. Die Herren Offiziere pflegten nicht zu knausern, wenn es um ihr Vergnügen ging. Da hatten sie alle es eilig gehabt, ihre Instrumente zu stimmen und die schönsten Noten herauszusuchen, auch die neuen Tanzweisen aus Frankreich, die Pavanen und Gaillarden, die man noch kaum hatte spielen dürfen, in diesem Land, in dieser Zeit. Hei, die sollten heute klingen wie bei einem Fest am Kaiserhof!

Freilich, einer würde fehlen, den sie oft genug um seine hohe Kunst beneidet hatten, der sie immer wieder mitgerissen hatte, so dass ihre Musik oft genug mehr geworden war als ein simples Aufspielen zum Tanz. Der Tungersleber hatte noch nicht seinesgleichen gefunden. Aber es war besser, nicht an ihn zu denken. Sonst konnte es wohl geschehen, dass sich einem plötzlich eine fremde Hand aufs Griffbrett legte, eine Knochenhand, schwarz verkohlt vom Feuer des Scheiterhaufens. Vor allem musste man sich hüten jene seinerzeit so beliebte Pavane zu spielen, die der Tungersleber selbst in Töne gesetzt haben wollte, vielleicht aber nur aus Welschland mitgebracht hatte. Es gab manchen unter den Musikanten, den es ein wenig gruselte bei solchen Erinnerungen. Aber das mochte keiner wahrhaben. Sie täuschten übermütige Freude vor und legten sie auch in ihr Spiel, lange ehe die Gäste alle versammelt waren.

Auch deren Fröhlichkeit war nicht ganz echt. Allzu entwöhnt war die Jugend in dieser Stadt der Lustbarkeiten. Die wilde Munterkeit der Offiziere war ihnen nicht recht geheuer. Sie standen steif herum, fast schüchtern. Bald aber taten die vielen Lichter und der reichlich ausgeschenkte Wein – die Herzellerin opferte den minderen Ertrag der letzten zwei Jahre – ihre Wirkung, vor allem aber die Musik, die man so lockend, so mitreißend süß lange nicht vernommen hatte.

Die Fröhlichste von allen, die Einzige, die sich vom ersten Augenblick an scheinbar ganz unbeschwert dem Tanz hingab, war die Jüngste des Doktors, Sabine. Sie sprühte vor Übermut, neckte alle und tanzte wie eine Feder. Seltsamerweise hatte gerade der Catalani, der sonst einem ganz anderen Geschmack huldigte, sie zu seiner Dame erkoren, vielleicht auch nur, weil das, was er sonst bevorzugte, hier unter den gesitteten Töchtern der Stadt nicht zu finden war. Er ließ die Kleine nicht von der Hand und lachte über jeden ihrer kecken Scherze.

Im Herumschwenken fragte er sie leise, ob es an dem sei, dass jede zweite oder dritte Jungfer hier in der Stadt eine Hexe sei.

»Da schätzt Ihr noch zu niedrig, Herr Offizier«, erwiderte die Kleine ernsthaft. »Es könnten auch alle sein, jede Einzelne.«

»Was! Ihr auch, Jungfer?«

»Ja, vielleicht ich auch, aber das weiß ich selbst noch nicht.«

»Und wann, bitte, werden Eure kleine Weisheit geruhen es zu wissen?«

Sie antwortete nicht gleich. Eine Tanzfigur trennte sie. Erst als sie wieder an seine Hand zurückkehrte, sagte sie: »Nicht eher, als jede andere es erfährt. Wenn uns der Meister Conz die Daumenschrauben anlegt. Da und in dem Augenblick werden die Hexen gemacht. Vorher ist keine von uns eine. Aber jede, die so weit kommt, wird eine. Habt Ihr das nicht gewusst?«

Dem Catalani verschlug es die Sprache und das Lachen erst recht. Eine sonderbare Art von Witz hatte das junge Ding! »Dann seht nur zu, dass dieser Meister Euch nicht zu fassen kriegt!«, versuchte er zu scherzen.

»Das ist mein Bemühen«, erwiderte sie im gleichen Ton wie vorher, zwischen Spott und bitterem Ernst.

»Ach was!«, rief der Catalani und schüttelte sich. »Lasst Eure Meister Hinz und Kunz und kommt mit mir! Die da machen's richtig.« Er wies auf den Herzeller und die Babelin, die gerade vorbeitanzten, ein schönes Paar, wie füreinander bestimmt, hätten alle Leute befunden, wenn welche da gewesen wären.

»Ach, er nimmt sie mit?«, flüsterte das Jüngferchen schnell begreifend.

»Schlimmer, er will sie heiraten.«

»Danach sehen die aber gar nicht aus«, meinte die Kleine und der Catalani dachte: Teufel, hat die ein Näschen! Wie ein glückliches Paar sehen sie wirklich nicht aus.

Die beiden traten aus dem Reigen. Der Herzeller zog die Babelin in einen Erker und redete heftig auf sie ein. Auch sie schien nicht so sanftmütig zu antworten, wie man es sonst von ihr kannte. Sie schüttelte den Kopf und schien um etwas zu bitten, es zu fordern, verzweifelt, mit immer dunkleren Augen. »Du hast mir versprochen . . .«, hörten die Tanzenden einmal.

Dem Herzeller war die Antwort vom spöttisch lachenden Mund abzulesen: »Versprochen! Was hätt' ich nicht versprochen . . .«

Und dann, als einmal die Musik leiser wurde, hörten es alle im Saal: »Dann sag wenigstens, dass du das nicht von mir glaubst, Franz.«

Und auch seine Antwort: »Warum soll ich es nicht glauben? Alle glauben es von dir und alles gibt

96

ihnen Recht. Aber was hat das zu sagen? Morgen bist du weit von hier.«

Er legte den Arm um sie, aber sie riss sich los, trat die Stufe vom Erker herunter in den Saal und sagte so laut, dass alle es verstanden: »Nein, Franz! So will ich das nicht. Frag mich wieder, wenn ich rein bin vom Verdacht.«

Er stand ernüchtert da, beschämt und zornig. »Babelin!«, versuchte er es noch einmal, ohne Kraft. »Du rennst mitten ins Feuer hinein.«

»Vielleicht. Aber das muss ich nun wagen. Anders ist kein Leben mehr für mich.« Noch einen Augenblick zögerte sie, als warte sie noch auf irgendetwas, ein Wort, das richtige, das ihr den schweren Weg ersparen würde. Es kam nicht. Da ging sie mitten durch die Tanzenden hindurch zur Tür, die nach der Treppe hinausführte. Alle blieben stehen und gaben ihr den Weg frei, die Musik verstummte. Auch die vorher nichts gewusst hatten, ahnten, was da geschehen war.

Der kleine Rotkopf am Arm des Catalani machte eine Bewegung, als wollte sie nachlaufen. Aber er hielt sie zurück, presste sie an sich und flüsterte ihr ins Ohr: »Willst du so dumm sein wie die? Komm mit mir! Du wirst's nicht bereuen.« Fast schien es, als wollte sie nachgeben, so schmiegsam lag sie ihm im Arm.

Da drängte sich ein schönes, blondes Mädchen heran und rief: »Sabine, wo bleibst du denn? Es hat schon zehn geschlagen, wir sollten längst daheim sein.«

Die Kleine wand sich los und fasste die Hand der

Blonden. Sie verneigte sich höflich gegen ihren Verehrer und sagte: »Vielen Dank, Herr Offizier! Ich werd' mir's überlegen. Ihr hört dann von mir.«

Ehe er sich von seinem Staunen erholt hatte, sah er die beiden leichtfüßig die Stufen hinunterlaufen und in der Gasse verschwinden.

Die Babelin war die Treppe hinuntergestiegen, an deren Fuß ihre beiden getreuen Schildknappen warteten. »Ich will heim!«, sagte sie und fasste die Hand des Gesellen. Der Student blickte drohend nach oben und machte eine Bewegung sie zu schützen. Aber es war nicht nötig. Der Herzeller stand an der Treppe, bleich, ein Geschlagener, und blickte den dreien nach, wie sie aus dem Hof gingen.

Endlich brach der Geselle das Schweigen und fragte, was denn nun werden solle. Der Student erinnerte ihn daran, dass nun der Augenblick da sei, Ernst zu machen mit den großen Versprechungen. Wie sei es denn mit der bewussten Pforte in der Stadtmauer, durch die so leicht die Flucht zu bewerkstelligen sei?

»Doch nicht heute Nacht!«, wehrte der Geselle ab. Ohne Abschied und Segen des Vaters und ohne das Geringste mitzunehmen, sei das doch ein unbesonnenes Wagnis.

»Morgen kann es zu spät sein«, warnte der Student und flehte die Babelin an zu sagen, was sie selbst wolle.

Sie blieb stehen und sagte zum Gesellen: »Du glaubst es eben auch von mir.« Er wollte widersprechen, aber sie fuhr fort: »Ihr alle glaubt es, das weiß ich jetzt. Sonst wärst du nicht so bedenklich geworden. Nein, lass nur! Für mich gibt's nur eins. Wer dreimal die peinliche Frage übersteht . . .«

»Aber das gilt doch nicht mehr«, rief der Student verzweifelt. »Wer erst dahin kommt, ist verloren.«

»Ich hab' keine Wahl, will ich meine Unschuld beweisen«, sagte das Mädchen und sprach kein Wort mehr, bis sie an der Tür des Schreinerhauses Abschied nahmen.

Die ganze Nacht irrte Johannes Schwegler in den Gassen umher und sann verzweifelt auf einen Ausweg. Als er früh am Morgen wieder an die Haustür klopfte, war die Babelin gerade abgeholt worden.

Der Vater begriff es nicht. Er hatte nicht gewusst, was seine Tochter bedrohte. Weil er aber ein gläubiger Mann war, so war er bald überzeugt, dass sie wirklich eine Hexe sei. »Sie ist viel zu schön für ihren Stand, das hätte mich längst stutzig machen müssen, genau wie ihre Mutter, die ja auch beinahe eine gewesen ist.« Wirklich war die verstorbene Margarete Göbelin in jungen Jahren einmal in Verdacht gewesen und sogar verhört, aber freigesprochen worden, was damals noch vorgekommen sein sollte. Die Nachbarn erinnerten sich nun wieder daran und fanden das Schicksal der schönen Schreinerstochter genügend erklärt. Der Geselle sagte ganz verstört zum Schwegler, er wolle fort aus der Stadt, ehe es mit der Babelin zum Ende komme. Das ertrüge er nicht. »*Sie* wird es ertragen müssen«, sagte der Student bitter und dachte: Auch du hast sie im Stich gelassen, ich auch, wir beide. Aber sie soll nicht allein bleiben im Unglück.

Er ging zum Herzeller Hof und verlangte den

Kornett zu sprechen. Der aber war noch in der Nacht zum Heer aufgebrochen, ein ganz verwandelter Mensch, nicht mehr er selbst. »Die Hex' hat ihn unter«, sagte der alte Diener, der diese Auskunft gab, grimmig. »Mit der hätt' er sich gar nicht wieder einlassen dürfen.«

Er allein hätte sie retten können, dachte der Student. Ich wünsch' ihm nur, dass er das erkennt und sein Leben lang dafür büßen muss.

Er ging und von diesem Augenblick an verlor sich seine Spur in der Stadt. Auch seine nächsten Freunde wussten viele Tage lang nicht, wo sie ihn suchen sollten. Erst später wurde gerüchtweise bekannt, der Student Johannes Schwegler sei an jenem Morgen bis in die fürstliche Kanzlei vorgedrungen und habe sich zum Verteidiger der verhafteten Göbel Babelin aufgeworfen. Dabei hätte er als Student der Rechte doch wissen müssen, dass es im Malefizprozess keine Verteidiger gibt, am allerwenigsten einen, der sich selbst dazu anbietet. Es erfuhr auch niemand, was er eigentlich zu Gunsten seiner Mandantin vorgebracht habe, nur, dass er noch am gleichen Tage wie die Babelin gefänglich eingezogen worden war und unter der gleichen Anklage wie sie sein Urteil erwartete.

2

Die Musik aus dem Herzeller Hof klang durch das leise Regenrauschen der Frühsommernacht weithin über Dächer und Baumwipfel bis in eine verschlossene Dachkammer im Adelsseminar, wo ein Junker von etwa sechzehn Jahren auf den Knien vorgeschriebene Bußgebete murmelte. Er hob den Kopf zur Fensterluke empor und lauschte. Seit langer Zeit waren dies für ihn die ersten Töne aus der Außenwelt, wenn er den Gesang der Vögel am frühen Morgen nicht rechnete und das unaufhörliche Glockenläuten von den vielen Kirchtürmen, das er kaum noch hörte. Diese Musik aber war etwas Neues. Wo kam sie her? War eine Hochzeit hier in der Nähe? Denn andere Lustbarkeiten waren doch längst nicht mehr erlaubt. Ja, gab es überhaupt noch welche irgendwo in der Welt? Die Musik sagte Ja. Sie lockte und rief und schien immer näher zu kommen. Der Knabe konnte die Weisen erkennen und hätte sie mitpfeifen können. Aber das passte nicht an diesen Ort. Er hatte sich auf die Pritsche gesetzt. Zum ersten Mal seit vielen Tagen verließen seine Gedanken den befohlenen Kreislauf um Sünde und Buße und gingen eigene Wege.

Wie war er doch hierher gekommen? Die alte, adelige Base in der Plattnergasse, in deren Haus sich die Junker zu allerlei verbotenen Vergnügungen zu treffen pflegten, zu Trunk, Glücksspielen und Begegnungen mit Mädchen, die war eines Tages als Hexe entlarvt worden, was keinen wunderte. Vielleicht war sie schon längst verbrannt. Vorher aber hatte sie noch Unglück genug angerichtet. Ihre Aussage hatte den Junker und seinen Freund Reitzenstein zuerst in ein strenges Verhör vor dem gesamten Kollegium und dann in dies Gefängnis unterm Dach gebracht, von dessen Vorhandensein sie nie etwas geahnt hatten. Warum nur sie beide von allen? Und wie lange saß er schon hier? Es war noch Winter gewesen und bitterkalt hier oben, als sie eingesperrt wurden. Nun war die Hitze so nah unterm Dach oft unerträglich.

Sie waren von Anfang an getrennt worden, in zwei Kammern nebeneinander. Aber sie hätten trotz ihrer geistlichen Bestimmung nicht eben doch Schulbuben sein müssen, wenn sie es nicht, der strengen Bewachung zum Trotz, fertig gebracht hätten, miteinander in Verbindung zu treten. Der Laienbruder, der ihnen das Essen brachte und dem verboten war mit ihnen zu sprechen, trug ahnungslos an seinem Rock festgesteckt Zettel mit Botschaften von einem zum andern. Auch Klopfzeichen an die Wand wagten sie, wenn sie etwa zwischen Mitternacht und Morgengrauen sicher waren, dass keiner sie belauschte.

Tröstliches gab es nicht mitzuteilen. Stundenlange Gebete, Verhöre, Teufelsaustreibungen an Stelle des Nachtschlafs waren die Mittel, mit denen man sie dazu bringen wollte, ihre jugendlichen Sünden als Folgen höllischer Verbindungen einzugestehen. Sie waren jung und zäh, dazu stolz und trotz allem unverdorben. Sie wehrten sich tapfer und fanden sogar den Mut einander mit frechem Spott zu ermuntern.

Dann war eines Tages der Reitzenstein fortgewesen, so plötzlich, dass er sich nicht einmal auf irgendeine Art hatte verabschieden können. Wohin war er gebracht worden? Die Patres beantworteten die Frage des Knaben nicht. Er wollte glauben, der Freund könne nur freigelassen worden sein. Denn das, was man hören wollte, hatte er bestimmt nicht gestanden, und was hätte man ihm sonst nachweisen können? Aus diesem Gedanken schöpfte er die Hoffnung auch er werde bald wieder in Freiheit sein, vielleicht mit strenger Buße belegt, auf Schritt und Tritt bewacht, aber doch frei, frei! Er kannte im Wachen und Schlafen keinen anderen Gedanken mehr.

Noch immer klang die ferne Musik und lockte die Gedanken ins Freie hinaus, in immer weitere Kreise, wie sie die Schwalben an klaren Abenden hoch über der Dachluke zogen. Zum ersten Mal begriff der Knabe, dass jenseits seiner Kerkerwände die Welt weiterging. Was war diese Kammer denn anderes als ein Raum im altersgrauen Gebäude des Adelsseminars, einem Haus unter den Hunderten in dieser Stadt! Sie konnten ihn nicht ewig hier gefangen halten. Man würde nach ihm fragen, der Vater vor allem. Er würde zu wissen verlangen, wofür sein Sohn bestraft wurde, und wenn er es erfuhr, würde er laut lachen und sagen: Das glaubt ihr doch selbst nicht! Mein jüngster Sohn, ein adeliger Junker und eines Tages Domherr, Bischof vielleicht, und dieser Hexenhokuspokus! Hatte ihn der Vater nicht auch gelehrt, ein Edler dürfe nur von seinesgleichen gerichtet werden? Das wollte er fordern. Sie sollten aufhören mit ihren Beschwörungen und ihn vor den Richter stellen, den höchsten im Land, und wenn das der Kaiser selbst war. Kein Richter konnte ihn um seiner Jugendstreiche willen so hart verurteilen wie die Patres.

Er ahnte nicht, wie nah ihm in dieser Abendstunde der Vater war, der sich, nur ein paar Straßen entfernt, in einem Gasthofbett bekümmert zur Ruhe legte. Herr Hans Wolfgang von Rotenhan zu Koppenwind, seit langem ohne Nachricht von seinem Sohn, war früh am Morgen von seiner Burg den weiten Weg in die Stadt gekommen und hatte im Adelsseminar nach ihm gefragt. Da hatte er vom Rektor das Unerhörte erfahren: dass der Junker, nachdem er lange seine Studien vernachlässigt und, Gott sei's geklagt, ein liederliches Leben angefangen habe, sich zuletzt sogar dem Teufel verschrieben und zum Hexensabbat ausgefahren sei, wie mehrere verurteilte Malefikanten bezeugt hätten.

Dem Vater kam es keineswegs in den Sinn zu lachen. Er fragte, wie eine so schwere Anklage habe erhoben werden können ohne Wissen der Eltern, da sein Sohn doch minderjährig, ja fast noch ein Kind sei.

Milde belehrte ihn der Rektor, gerade darum habe man den Junker in der Obhut dieses Hauses behalten. Man hoffe immer noch einen so jungen Menschen ohne Malefizgericht und peinliche Frage allein mit geistlichen Mitteln wieder auf den rechten Weg zu bringen. Doch könne nicht verschwiegen werden, dass, wenn der Junker weiter so verstockt bleibe, wie er sich bisher gezeigt habe, die schwerste Ahndung sich kaum werde vermeiden lassen.

Der Herr von Rotenhan verschluckte seinen Zorn und verlangte nun sehr kurz angebunden seinen Sohn zu sprechen. Dies indessen musste der Rektor aus erzieherischen Gründen verweigern. Zur Zeit sei der Junker noch derart aufsässig, dass jede Begegnung mit der Außenwelt seinen Trotz nur steigern und eine vielleicht keimende Einsicht stören könne. Wenn eine solche Begegnung ratsam, ja wünschenswert erscheine, werde man es den Vater wissen lassen.

Es fiel dem edlen Herrn schwer, auch dies noch einzustecken. Mit knappem Gruß, kaum die Höflichkeit wahrend, machte er mit klirrenden Sporen kehrt, bestieg sein Pferd und ritt ohne Verzug zur Burg hinauf, beim Bischof selbst Beschwerde einzulegen.

Er drang nicht durch zu Seinen Fürstlichen Gnaden. Diener und Sekretarius hielten ihn im Vorzimmer auf und versicherten ihm, der Herr könne ganz gewiss in den nächsten Tagen vor lauter Geschäften keinen Augenblick für einen so unverhofften Bittsteller erübrigen. Wenn aber der Herr von Rotenhan sein Anliegen dem Sekretarius mit wenigen Worten anvertrauen wollte, so werde dieser gern versuchen, was bei Ihro Fürstlichen Gnaden aus gnädiger Geneigtheit zu erreichen sei. Der arme Vater schnaufte schwer. Aber was blieb ihm übrig? Die Zeit drängte. So vertraute er widerwillig dem Federfuchser seine brennende Sorge an. Der eilte davon und kam bald mit der Antwort zurück. Fürstliche Gnaden ließen sagen, der Fall sei hierorts wohl bekannt und werde im Auge behalten. Der Junker sei bei den Patres in guten Händen und habe, sofern er sich fügsam erweise, nichts zu befürchten. Der Herr von Rotenhan möge ohne Sorge heimreiten.

Ohne Sorge! Der hatte gut reden! In seinem Quartier im Gasthof, bei einem trübseligen Abendtrunk fasste der arme Vater einen neuen Entschluss. Früh am nächsten Morgen machte er sich auf den Weg zur Stammburg seines Geschlechts, wo ein entfernter Vetter als Haupt der Familie und Führer der Ritterschaft des Landes seinen Sitz hatte: Adam

Hermann von Rotenhan zu Rentweinsdorf. Am Mittag des folgenden Tages kam Hans Wolfgang dort an und wurde freundlich, aber mit Zurückhaltung empfangen. Denn der Vetter wusste Bescheid und konnte sich den Grund des Besuches denken.

Hans Wolfgang rückte auch alsbald damit heraus und bat den Vetter um Fürsprache, wenn nötig, um Eingreifen der Ritterschaft zu Gunsten seines Sohnes, der zu Unrecht bedrängt, ja an seinem Leben bedroht werde.

Der Vetter ließ ihn ausreden und erwiderte dann stockend: »Schad' um deinen Buben, dass er in so schlechte Gesellschaft geraten ist! Damit steht er leider nicht allein. Die Sitten der jungen Dimicellare sind ein öffentliches Ärgernis. Warum die Patres gerade an ihm ein Exempel statuieren wollen, weiß ich nicht, vielleicht seines Namens wegen, der ja auch der meine ist. Schlau genug haben sie's angefangen. Schau, würde dein Bub allein seines Wandels wegen von ihnen drangsaliert, wegen Spiel oder Rauflust, meinethalb auch wegen einer Liebschaft, so könnte man wohl eingreifen. Aber sie haben listigerweise die Anklage auf Malefizverbrechen erhoben. Da können wir nichts tun. Niemand könnte es, nicht einmal der Bischof selbst, glaub' ich.«

»Warum denn nicht?«, polterte Hans Wolfgang. Ein Heiliger sei der Bub gewiss nicht. Wegen des liederlichen Lebens habe er ihn schon selbst ins Gebet genommen. Aber das andere da, vom Teufelspakt und Hexensabbat, da sei er bestimmt unschuldig. Man bedenke, ein frischer junger Bursche, ein Edelmann dazu! Dergleichen sei doch nur etwas für verrufene alte Weiber, wie man in seinen Dörfern auch schon einige verbrannt habe.

Der Vetter blickte ihn fast mitleidig an, weil er so wenig von dem wisse, was in der Welt vorgehe. Hatte er denn nicht sogar auf seiner abgelegenen Burg gehört, dass binnen eines Jahres in dieser Stadt mehr als hundert Personen Hexerei halber verbrannt worden waren? Und nicht nur verrufene alte Weiber, sondern auch junge, schöne, vornehme und fromme Frauen, Mannsleute sogar und nicht die schlechtesten. Warum sollte da ein sechzehnjähriger Domicellar von fragwürdigem Lebenswandel nicht das gleiche Schicksal leiden?

Aber da müsse doch ein Richter sein, wandte der Vater verzweifelt ein, da müsse doch Schuld und Unschuld gewogen und ein Urteil gesprochen werden.

»Sei froh, wenn sie ihm das Gericht und die peinliche Frag' ersparen! Da ist noch keiner dem Todesurteil entgangen. So aber ist doch noch eine schwache Hoffnung, dass er mit dem Leben davonkommt.«

»Welche Hoffnung? Ich seh' keine.«

»Wenn er zu Kreuze kriecht, alles bekennt, jede Buße auf sich nimmt, dann werden sie ihn wohl verschonen.«

»Wie kann er aber gestehen, was er nicht verbrochen hat? Das ist doch ungerecht, so etwas zu fordern.«

»Danach geht es längst nicht mehr. Bei dieser Art Verbrechen ist angeklagt schon verurteilt, und wenn auch das Leben, die heilen Glieder rettet keiner aus einem solchen Prozess. Dein Bub hat Glück, dass er es nur mit seinen Patres zu tun hat.«

Er werde sich an den Kaiser selbst wenden, rief Hans Wolfgang, und dabei müsse die Ritterschaft ihn unterstützen. Aber auch davon riet der Vetter ab. »Wir müssen der Majestät oft genug wegen Bedrängung unserer Untertanen in Glaubensdingen und Beeinträchtigung unserer Rechte im Ohr liegen. Wollten wir nun auch noch mit den Schwierigkeiten unserer – verzeih! – ungeratenen jungen Söhne lästig fallen, so möchte die kaiserliche Geduld bei wichtigeren Dingen vorzeitig ermüden. Auch käme jede Hilfe von außen zu spät, glaub mir! Die Hexenjustiz ist schnell, wenn's drauf ankommt.«

»Da sagst du's selbst, dass er in Gefahr ist!«

»In größerer, als er weiß. Du hast doch von dem jungen Reitzenstein gehört?«

Hans Wolfgang schüttelte den Kopf. Der Vetter blickte ihn ernst an, fuhr sich mit der flachen Hand an der Kehle vorbei und nickte. Der andere fuhr entsetzt zurück. »Das wagen sie? Aber was soll ich denn tun?«

»Versuch mit ihm zu reden oder schreib ihm!«, riet der Vetter. »Ermahne ihn zu kluger Demut, zu völliger Unterwerfung! Das allein kann ihn noch retten.«

Hans Wolfgang sagte gar nichts mehr. Er jagte zurück in die Stadt zum Seminar und verlangte noch einmal, noch dringender, mit seinem Sohn zu sprechen. Wieder wurde er, diesmal noch entschiedener, abgewiesen. Doch wurde ihm erlaubt einen Brief zu schreiben, falls er den Junker damit zur Einsicht mahnen wollte. Der Brief werde gelesen und nur überliefert werden, wenn sein Inhalt unverfänglich sei.

Der Herr von Rotenhan war nicht besonders geschickt mit der Feder. Daheim pflegte ihm sein Kap-
lan hilfreich zur Seite zu stehen. Aber es war keine
Zeit zu verlieren. So saß er in einer kahlen Stube des
Seminars, in der man ihm ein Schreibpult angewiesen
hatte, und versuchte seine große Sorge zu Papier zu
bringen, ohne dass beleidigende Worte gegen die Pei-
niger des Buben fielen. Was hieß dann »unverfänglich« in einem solchen Brief? Er quälte sich ab, strich
durch und begann von neuem. Zuletzt geriet ihm das
Schreiben mehr als eine allgemeine väterliche Er-
mahnung zu Geduld und Wohlverhalten denn als die
brennende Warnung, die er dem Sohn hatte in die
Ohren schreien wollen. Aber weil er nicht wusste,
wie es besser zu machen wäre, gab er den Brief un-
versiegelt den Patres ab, »zu treuen Händen«, wie sie
betonten, und ritt schweren Herzens heim.

Nie erfuhr er, ob sein Sohn den Brief erhalten und
was er bewirkt habe. Aber auch wenn der Junker, wie
es wahrscheinlich war, diesen wohl meinenden väterlichen Brief noch am gleichen Tage erhalten und gelesen hatte, so war seine Sache doch in ein Stadium
eingetreten, wo kein noch so kluger Rat sie mehr be-
einflussen konnte. Demut und Unterwerfung? Gerade in der letzten Nacht hatte der Junker sich für
eine andere Art der Verteidigung entschieden.

Sein Beichtvater hatte an diesem Morgen nicht
mehr den verstörten Knaben vorgefunden, der im
gleichen Augenblick Besserung gelobte, wie er sich
unbelehrbar zeigte. Nach den ersten Worten unterbrach ihn der Junker in festem, aber nicht unbeschei-
denem Ton. Er bekenne sich schuldig einen schlech-

ten, seiner künftigen Bestimmung unwürdigen Lebenswandel geführt zu haben. Er wolle sich nicht damit rechtfertigen, dass die meisten seiner Kameraden es nicht besser machten. Aber an dem größeren Verbrechen, dessen er angeklagt werde, wisse er sich ganz und gar schuldlos. Sie sollten aufhören ihn zu plagen. Bei ihm gebe es keinen Teufel auszutreiben. Dagegen fordere er vor Gericht gestellt zu werden, ja, vor ein Gericht von seinesgleichen, wie es ihm als einem Edelmann zukomme. Zuletzt hatte die brüchige Bubenstimme sich doch streitbar erhoben, aber das tat dem Ausdruck äußerster Entschlossenheit keinen Eintrag.

Der Pater wunderte sich sehr und ging sich mit dem Kollegium über diese neue Schwierigkeit zu beraten. Er fand alle ziemlich beunruhigt vor, schon über den Besuch des Vaters. Sicher vermochte der Herr von Rotenhan nicht viel und war leicht abzuweisen gewesen. Aber würde er allein bleiben? Wenn die Ritterschaft sich einmischte und höhere Instanzen anrief, konnte es ernste Schwierigkeiten geben. Schon dass sich der Junker an diesem Morgen so verändert gezeigt hatte, ließ vermuten, dass er auf unaufgeklärte Weise von einer Unternehmung zu seinen Gunsten unterrichtet sein könnte. Es galt, schnell zu handeln.

Auf welche Weise das geschehen sollte, darüber gingen die Meinungen auseinander. Gewisse Methoden hatten unter den feineren Köpfen nicht mehr viele Freunde. Dennoch beschloss man beim Bischof anzufragen, ob es erlaubt sei, den verstockten Sünder durch jenes besondere Schreckmittel zu erweichen, dessen man sich schon einmal bedient hatte. »Mit wenig Erfolg, wenn Wir recht berichtet sind«, lautete die verdrießliche Antwort. Aber schließlich waren auch Fürstliche Gnaden ungeduldig geworden. Der Fall musste zu einem Ende kommen, so oder so, ehe Dritte sich einmischten und neue Schwierigkeiten schufen. Den Patres wurde freie Hand gewährt.

Indessen saß der Knabe in seiner dunklen Kammer und sah tagelang niemanden als den stummen Laienbruder, der ihm das Essen brachte und keine seiner Fragen beantwortete. Fast reute ihn schon der eigene Mut. Hatte er etwas bewirkt? Aber was? Nach einer Woche einsamen Grübelns war der Knabe so weit, dass er aufatmete, als sich am Ende einer schlaflosen Nacht im Morgengrauen Schritte seiner Tür näherten.

Zwei Patres traten ein, sein Beichtvater und einer, den er noch nicht kannte. Sie begrüßten ihn gemessen, aber nicht unfreundlich, und forderten ihn auf mit ihnen zu gehen. Verwirrt, von unklaren Hoffnungen erfüllt, gehorchte der Knabe, folgte ihnen die Treppen hinunter, durch das Tor hinaus in die dämmrige Gasse, wo ein geschlossener Wagen hielt. Man hieß ihn einsteigen, die beiden Patres setzten sich zu ihm.

Nun aber konnte der Knabe seine Spannung nicht länger bezwingen. »Wohin fahren wir? Zum Bischof hinauf? Oder heim? Wohin?«

Die beiden lächelten geheimnisvoll und schüttelten die Köpfe. »Es geht nicht so weit, wie du denkst«, sagte endlich der Beichtvater. »Wir treten unsere

111

Verantwortung für dich an eine höhere Instanz ab, das ist alles.«

»An den Richter?«, fragte der Knabe atemlos.

»Ja, dem Richter!«, erwiderte der fremde Pater mit einer harten Stimme, die der Knabe jetzt zum ersten Mal hörte.

Sie hätten es mir sagen müssen, dachte er. Nun hab' ich keine Zeit gehabt mir die rechten Worte zu überlegen. Aber diese Bedenken vergingen vor dem berauschenden Triumph: Du hast es durchgesetzt, man wird dich hören, dir wird dein Recht werden!

Der Wagen hielt. Sie stiegen aus und standen auf dem Domplatz vor der bischöflichen Kanzlei. Noch sah der Knabe die Turmspitzen im ersten Sonnenrot glühen, dann traten sie durch den dunklen, hallenden Torweg in den Kanzleihof. Der Knabe blieb stehen und erstarrte. Er sah – das Recht, das ihm werden sollte: den Henker, auf sein breites Schwert gestützt, hinter einem Stuhl aus rohem Holz, von einer schrecklichen Farbe geschwärzt.

Das war zu viel, zu plötzlich der Sturz aus verwegenen Hoffnungen in die Wirklichkeit. Der Knabe brach in die Knie und schrie, schrie und schrie, flehte um sein Leben.

Die beiden Patres tauschten einen Blick. Ihre Rolle schrieb ihnen nicht vor unerbittlich zu sein. Mit einem Male hörte der Knabe eine Stimme, die ihn fragte, ob er nun endlich bereit sei reuig alles zu bekennen, ohne Vorbehalt. Ja, ja, das wollte er und nichts mehr verschweigen, gewiss nichts mehr. Nur nicht sterben, nicht sterben!

Endlich wagte er aufzublicken. Der schreckliche

Mann mit dem Schwert war verschwunden, auch der Stuhl. Hatte er nur geträumt? Die Patres fassten ihn unter den Schultern, richteten ihn auf, reichten einen Becher Wasser und sprachen ihm tröstend zu. Ein Blatt Papier war plötzlich in ihren Händen, einer las daraus vor. Der Knabe verstand kein Wort, wiederholte nur immer ja zu allem. Man drückte ihm eine Feder in die Hand, wies auf eine Stelle: »Da unterschreib!« Er gehorchte und hörte über sich die lateinischen Worte der Lossprechung. Mit nassen Augen blickte er auf. War er wirklich gerettet?

Der Beichtvater legte ihm die Hand auf die Schulter. »Du hast klug getan, mein Sohn, dass du nicht so verstockt gewesen bist wie der Reitzenstein.«

Der Reitzenstein? Erst langsam begriff er. Der Pater nickte ernst auf seine stumme Frage. »Er war nicht zu retten. Bete für seine arme Seele!« Das war der erste Eishauch in dem neu gewonnenen Leben. Der Reitzenstein tot – und war verstockt geblieben bis zuletzt!

Zuerst vergaß der Knabe das schnell. Die Rückkehr in die Freiheit betäubte ihn. Zwar musste er weiter in der Dachkammer schlafen, die jede Nacht verschlossen wurde. Zwar saß er beim Unterricht und bei Tisch abseits von den anderen und musste während der Messe mit einer brennenden Kerze vor der Kapellentür stehen zur Buße für seine schweren Sünden. Aber im Anfang machte er sich nicht viel daraus. Erst allmählich begriff er, dass er nicht frei geworden war, sondern nur das Gefängnis gewechselt hatte.

In einer Nacht erwachte er, weil ihm so war, als hätte der Reitzenstein an die Wand geklopft. Er setzte sich auf und wusste mit einem Mal so klar wie nie vorher: Er ist tot, ohne Gericht ermordet an der gleichen Stelle, wo ich an jenem Morgen stand. Aber er ist nicht schwach geworden, ist lieber gestorben. Und der Knabe schämte sich vor dem toten Freund. Am nächsten Morgen schien es ihm, als blickten ihn die Kameraden verächtlich an. Sicher wussten sie von seiner Feigheit. Was hatte er anderes verdient als ihre Verachtung, da er um solchen Preis sein Leben erkauft hatte!

Er ahnte nicht, wie wenig sie alle wussten, dass er den leichtsinnigen Junkern nur als schauerliches Exempel hingestellt wurde und dass jedes Gespräch mit ihm verboten war. Auch wusste er nicht, wie sehr sein Gesicht von den ausgestandenen Qualen gezeichnet war. Das Verbot wäre kaum nötig gewesen, den meisten graute vor ihm.

Dann eines Tages kam der Vater. Noch einmal hoffte der Knabe. Der Vater würde helfen, ihn hier fortnehmen, zum Heer schicken, wenn er ihn darum bat. Aber als er ihm ins Gesicht sah, konnte er um nichts bitten. Der Herr von Rotenhan hatte das Geständnis seines Sohnes gelesen und begriff nichts mehr. Wohl hatte er ihn selbst zum Nachgeben ermahnt, aber was das bedeutete, was ein Hexengeständnis war, das hatte er sich nicht vorzustellen vermocht. Ihn ekelte es. »Ist das alles wahr, was du da unterschrieben hast?«, fragte er.

Der Knabe wollte erklären, wie diese Unterschrift zu Stande gekommen war. Aber er ahnte, dass der Vater ihn wohl lieber für einen Verruchten halten wollte als für einen Feigling. Er schloss die Lippen und senkte stumm den Kopf.

114

»Wenn sie dich trotzdem noch zum Domherrn wollen«, grollte der Rotenhan, »dann bleib! Aber nach Hause kommst du mir nicht mehr.« Sporen klirrten über den Estrich, die Tür krachte ins Schloss. Auch den Vater hatte der Knabe verloren.

Danach vollendete sich sein Schicksal rasch. Ein paar Tage später wurde er bei der Vesper vermisst. Sogleich wurde die ganze Dienerschaft, dazu alle Patres und Domicellare ausgeschickt ihn zu suchen. Man fand ihn bald in einer engen Gasse hinter dem Seminargarten, in die er von der Mauer gesprungen war.

Da war nichts mehr zu verbergen. Er gab beim nächtlichen Verhör auch alles trotzig zu: »Ja, ich wollte fort und will es auch noch. Ich bereue nichts und widerrufe alles, was ich gestanden habe. Ich wurde dazu gezwungen, aber zum zweiten Male zwingt mich keiner.« Der Fall lag klar. Eine Anfrage beim Bischof war kaum noch nötig. Das Urteil war über den Rückfälligen schon im Voraus gesprochen.

Noch einmal schloss sich die Tür der Dachkammer hinter ihm, für eine Nacht und einen Tag und noch eine Nacht. Er träumte einen schweren Traum und wusste die ganze Zeit, dass er schon einmal so geträumt hatte. Im Morgengrauen kamen Schritte, die Tür ging auf, zwei Patres nahmen ihn in ihre Mitte und geleiteten ihn die Gasse hinunter. Da stand der Wagen, ein schwarzer Sarg. Schon hielt er wieder auf dem Domplatz. Die Türme standen im Morgenrot, der finstere Torweg hallte von ihren Schritten. Im Kanzleihof stand der Henker mit seinen Knechten. Aber es war ja nur ein Traum, gleich musste er enden.

Und er endete. Mit einem Male war etwas da, das in

dem früheren Traum nicht gewesen war: Hufschläge auf dem Domplatz draußen, viele, von Soldaten, Offizieren vielleicht, die zum Heer ausrückten. Der Knabe erwachte und schrie laut: »Hierher! Zu mir! Helft mir, helft mir!« Er wurde gepackt, eine Hand auf seinen Mund gepresst. Er riss sich los und rannte zur nächsten Tür. Sie war verschlossen. Aber es gab noch mehr Türen in dem geräumigen Hof und der Knabe war flink auf seinen Beinen, die das Kinderspiel noch nicht verlernt hatten. Eine schauerliche Jagd begann zwischen den stummen Mauern und verschlossenen Türen. Endlich wurde der Knabe gepackt und zum Richtstuhl geschleppt, aber es gelang nicht ihn darauf niederzuzwingen. Da, mitten im Ringen mit den Henkersknechten, traf ihn der Todesstreich. Ohne Laut stürzte er zu Boden. Der Hufschlag war längst verhallt. Niemand hatte die Schreie aus dem Kanzleihof gehört.

Als die Knechte des Nachrichters, wie es ihr verbrieftes Recht war, dem Gerichteten die Taschen ausleerten, fand sich unter den armseligen Kleinigkeiten, die der Junker bei sich getragen, eine Silbermünze mit einem Heiligenbild darauf, wie fromme Leute sie von Wallfahrten mit heimbringen. Das verschlissene Seidenband daran ließ an einen Mädchenhals denken, der es getragen. Grinsend zeigten die Knechte einander den Fund. Seltsam, dass einer, der sich dem Teufel verschworen, so etwas mit sich herumtrug! Der hatte anscheinend nicht nur mit Hexen Umgang gehabt. Aber was ging das sie an! Sie losten das Silberstück, das Einzige aus dem ganzen Nachlass, untereinander aus und warfen das Band fort.

Diese schauerliche Begebenheit ging nicht in die Annalen des berühmten Adelsseminars ein. Auch in der Stadt wurde sie damals kaum bekannt. Die edlen Familien wussten zu verhüten, dass der schimpfliche Tod eines der Ihren unter die Leute kam, und die Patres empfanden den Vorfall mit Recht als schwer vereinbar mit den hohen Erziehungsgrundsätzen ihres Ordens. Aber sie konnten nicht verhindern, dass die Geschichte heimlich im Seminar weitergetragen wurde, von Jahrgang zu Jahrgang. Später glaubten manche im Dachgeschoss hinter einer immer verschlossenen Tür Seufzen und Klopfzeichen zu hören. Einige Lehrer, die drastische Wirkungen liebten, redeten gern in dunklen Andeutungen von der Begebenheit, wenn sie ihre Schüler vor der Macht des Teufels warnen wollten. Es ist nicht überliefert, ob sich die Ärgernis erregenden Sitten der Domicellare dadurch besserten. Aber sie wurden vorsichtiger und williger zur Reue und Buße, womit denn ein wichtiges Ziel der Erziehung erreicht worden war.

Erst ein Menschenalter später enthüllte einer der Patres, der damals als junger Lehrer am Seminar die gräuliche Hexenzeit miterlebt und vielleicht auch am Schicksal der beiden Jungen mitgewirkt hatte, alle Einzelheiten der Begebenheit, als ein wahrhaftig glaubwürdiger Zeuge. Er schrieb sie nieder zur Warnung für die geistliche Jugend, die er immer noch durch den Teufel gefährdet fand. Sein Bericht schließt mit den Worten:

»Er fiel ohne ein Zeichen des Schmerzes oder eine andere Äußerung der Frömmigkeit zu Boden. Wollte Gott, dass er nicht auch in das ewige Feuer gefallen wäre!«

Pater Friedrich an Pater Tannhofer:

den 17. Juli 1628

Ihr irrt Euch, hochverehrter Freund und Vater, Ihr
irrt Euch sehr. Vergebt mir, wenn ich Euch zum ersten Mal so entschieden widersprechen muss! Ihr habt
mich streng ermahnt meinen Oberen williger zu gehorchen, das schädliche Grübeln zu vermeiden, das
mich zu Zweifeln, ja zum Glaubensabfall führen
könnte. Hochverehrter und lieber Freund, darin
kann ich Euch nicht mehr folgen und wenn Ihr auf
dieser Forderung beharrt, so muss ich Euch in aller
schuldigen Demut erwidern, dass Ihr nicht wisst, was
Ihr von mir verlangt.

Ja, das ist es: Ihr wisst nicht genug, nicht aus eigener Anschauung, wie es in einer Stadt zugeht, die
ganz und gar dem Hexenglauben verfallen ist. Ich
wähle mit Bedacht das Wort »verfallen«, ich könnte
auch sagen: befallen oder verseucht. Denn nicht anders kommt es mir vor: Eine Krankheit des Geistes
und Gemüts hat diese Menschen hier ergriffen, dass
sie in allem, was sie nicht verstehen – und das ist vieles! –, ein Werk des Teufels sehen und in jedem Menschen, der ihnen missfällt, einen Teufelsgenossen.
Das Übrige tut dann das Wundermittel der Folter.
Ach, mein Vater, ich wollte, es bliebe mir erspart,
Euch zu schildern, welche Einblicke ich seit meinem
letzten Brief an Euch in das Wesen dieser Prozesse
gewonnen habe!

Ihr sollt auch erfahren, dass ich die Schwäche des

Fleisches überwunden und mich in die Folterkammer gewagt habe, mehr als einmal. Ob mir gleich oftmals das Herz brechen wollte beim Anblick solcher Qualen, achtete ich doch genau auf alles, was vorging. Denn wie könnte ich der gerechten Sache besser dienen, als wenn ich nach größter Klarheit strebe in allem, was mein Amt angeht.

Und dies war das Erste, was ich erfuhr und mit eigenen Augen sah: Immer wieder hatte ich in den Protokollen mit Verwunderung gelesen, wie viele Malefikanten die gräulichsten Hexereien schon gütlich und ohne Tortur eingestehen. Nun sah ich, wie solche Geständnisse zu Stande kommen. »Gütlich und ohne Tortur« heißt es noch, wenn Meister Conz dem Angeklagten die Foltergeräte und ihre grausame Anwendung beschreibt, »gütlich und ohne Tortur« noch, wenn die Daumenschrauben die Finger blutig zermalmt haben, und auch noch nach Anwendung der Beinschrauben. Sogar, wenn der Malefikant in der Pause zwischen zwei Folterungen gesteht, aus Angst vor Schlimmerem, hat er »gütlich und ohne Tortur« gestanden. Die schlimmeren Grade, die ich mit ansah, sind so furchtbar, dass ich nichts davon niederschreiben mag. Es sind solche Qualen, dass kein Mensch, ob schuldig oder nicht, ihnen widerstehen kann. Er muss alles bekennen, was von ihm gefordert oder vorgesagt wird, ja, noch viel mehr.

Denn auch dies nahm ich wahr: Wenn einer faul ist im Bekennen und nicht die rechten Worte findet, vielleicht weil er nichts zu gestehen hat, so werden ihm Fragen vorgelegt, der ganze scheußliche Kanon des Malleus maleficarum, und aus Angst und Pein sagt er dann Ja zu allem. So kommen die gleich lautenden Geständnisse der Hexen zu Stande, die manchem Unwissenden ihre Echtheit zu beweisen scheinen. Sie beweisen aber das Gegenteil.

Hat einer aber unter Schreien und Jammern und halber Zurücknahme endlich genug gestanden um das Todesurteil zu verdienen, so wird er weiter gefoltert, damit er Mitschuldige nenne. Auch deren Namen werden oftmals vorgesagt. Am Ende hat jede verurteilte Hexe, wenn sie sich auch noch so sehr sträubt, fünf, sechs und mehr des gleichen Lasters beschuldigt. Denen steht dann der gleiche Weg zum gleichen Ziel bevor. Wundert Ihr Euch noch, dass diese Prozesse ins Ungemessene wachsen und kein Ende finden?

Widersteht aber einer, hält die furchtbaren Qualen aus ohne sich ein Geständnis entreißen zu lassen, so wird er nicht nach dreimaliger Tortur freigelassen, wie es des weiland Kaiser Caroli Peinliche Halsgerichtsordnung vorschreibt. Nein, er wird ohne Geständnis verurteilt und als unbußfertiger Sünder lebendig verbrannt. Denn nur der Teufel, sagt man, kann ihm die Kraft zu so unmenschlichem Widerstand geben. Es sind seither solche Fälle auch hier vorgekommen, wenngleich selten.

Was ich schreibe, mein Vater, sind nicht zweiflerische Hirngespinste, sondern der wahre Hergang der Dinge, wie ich ihn selbst erlebt habe. Fragt Euch, was ich danach von diesen Prozessen halten soll! Ich gehe nicht so weit das Vorhandensein von Hexen zu leugnen und was mit ihnen zusammenhängt. Wie käme mir das zu! Das aber sage ich offen und will dafür einstehen auf jede Weise, auch mit meinem Leben: Wenn es auf diese Art weitergeht und nicht bald etwas geschieht, so wird in Kürze die Stadt so voller Hexen sein, dass keiner mehr übrig bleibt die Letzten zu richten.

Meine Worte mögen Euch hart und was ich sage übertrieben scheinen. Aber glaubt mir, ich übertreibe nicht. Die Schicksale, die ich hier täglich sich vollenden sehe, sind auch hart und werden nicht gelinder durch fromme Umschreibungen. Da ist ein unbescholtenes Mädchen in dieser Stadt in Verdacht geraten. Das kränkt sie so, dass sie mit diesem Ruf nicht weiterleben will. Sie schlägt die Rettung aus, die ihr ein Liebhaber anbietet, und stellt sich dem Gericht. Nach altem Brauch will sie sich durch die Folter vom Verdacht reinigen, das unwissende Kind! Da wirft sich ein junger Student der Rechte zu ihrem Beschützer auf, erklärt, man könne die Wiederherstellung des alten Rechts nicht einem schwachen Mädchen allein überlassen, und bietet sich zur gleichen Probe an. Durch eine höchst rechtskundige, aber unkluge Verteidigung der Verhafteten hatte er sich von Anfang an verdächtig gemacht. Fragt mich nicht, wie das Wagnis ausgegangen ist! Die beiden waren auch nicht stärker als andere.

Ich könnte Euch mehr berichten von der Jugend in dieser Stadt, die sich vom Tode so umstellt weiß, dass sie ihn nicht mehr fürchtet, unbekümmert Feste feiert und tanzt. Schon sind viele von ihnen den Weg der verrufenen alten Weiber gegangen und nach dem Verfahren, das ich oben beschrieb, werden sie andere nachziehen, vielleicht alle. Sogar Kinder liegen schon im Gefängnis, unwissend wessen man sie beschuldigt. Nun, man wird es ihnen schon beibringen. Der Domvikar Schwerdt, der erste Priester, der in den Teufelskreis gezogen worden ist, wenn auch gewiss nicht der letzte, hat mir in seiner Sterbestunde seine Schuldlosigkeit versichert, in einer Weise, die ich nicht in Zweifel ziehen kann. Ich könnte Euch noch mehr Beispiele zählen. Aber ich will Euer gütiges Herz schonen und vertraue, dass Ihr auch ohne mehr und Näheres zu erfahren erkennen werdet, dass ich die Wahrheit sage.

Auf eine Frage vor allem habe ich noch keine Antwort gefunden: Wie kann einer, der wirklich unschuldig ist, sich vor diesem Gericht reinigen und einen Freispruch erlangen? Auch der gelehrteste Richter und der frömmste Priester haben mir das bisher nicht sagen können. Ich fange an zu fürchten, dass es überhaupt nicht möglich ist. Was aber tue dann ich bei einem solchen Werk?

Ich kann unter Eid bezeugen, dass ich bis jetzt noch keine verurteilte Hexe zum Scheiterhaufen geleitet habe, von der ich mit Überzeugung hätte sagen können, sie sei wirklich schuldig gewesen. Dasselbe habe ich noch von zwei andern gewissenhaften Priestern gehört und habe es doch wahrlich nicht an Fleiß fehlen lassen zur Wahrheit zu gelangen.

Verzeiht Ihr mir nun, mein Vater, wenn ich Euch sagen musste, dass Ihr irrt und nicht wisst, wie es hier zugeht?

Was den Arzt betrifft, vor dessen Umgang Ihr mich warnt, so gilt von ihm das Gleiche. Meine unvollkommene Schilderung unserer ersten Begegnung mag Euch nicht das rechte Bild gegeben haben.

Trotz seiner oft gewagten Reden ist mir dieser Mann in den vergangenen Monaten fast ein Freund geworden, dessen gelassenes Urteil über die menschlichen Dinge mir oft geholfen hat. Gespräche über Glaubensfragen habe ich vermeiden gelernt. Seinen Handlungen nach kann ich ihn nur einen wahren Christen nennen, ebenso seine Frau, die viel Gutes tut und eine glückliche Hand für Kranke hat. Sogar in der Pestzeit soll sie ihm geholfen haben, was manchen Leuten Anlass zu törichter Nachrede gegeben hat. Aber davon halte ich nichts. Mir hebt es das Herz, die beiden bei ihrer Arbeit zu sehen. Es ist, als kennten sie keine Furcht, nicht vor irgendeiner Ansteckung und nicht vor übel wollenden Menschen. Dass diese Zuversicht ihnen niemals enttäuscht werden möge, ist mein tägliches Gebet für die mir so teuren Menschen.

Ihr werdet, mein Freund und Vater, diesen Brief nicht ohne einiges Befremden lesen. Vertraut aber darauf, dass ich mich nicht leichtfertig in Zweifel verliere, sondern allein gezwungen durch die grausame Wirklichkeit der Dinge, wie sie in Wahrheit sind. Ich fange an zu begreifen, dass es ein großes Unrecht abzuwenden gilt. Betet mit mir, dass es gelingen möge, und entzieht nicht Eure Freundschaft

Eurem demütigen Pater Friedrich

4

Menschenleer lagen die Gassen im Glast des Sonntagnachmittags. Nur die Glockenschläge fielen überlaut in die Stille. Sonst schien die Stadt von allem Leben verlassen. Keine plaudernden Gruppen vor den Haustüren, keine Tänze und Lieder der Jugend an den Brunnen oder auf den freien Plätzen. Nicht einmal den Kindern war draußen zu spielen erlaubt. Die Angst hielt jedermann mit den Seinen in den eigenen vier Wänden, nicht anders als es in der Pestzeit gewesen war.

Sebastian saß in dem Höfchen hinter seinem Hause am Tisch unter dem alten Birnbaum und genoss die tiefe Ruhe, während er sich zwang über ihre Ursache nicht nachzudenken. Er war allein zu Hause. Veronika und die Töchter waren von Jakobe in ihren Garten vor dem Zeller Tor eingeladen worden. Er hatte nicht mitgewollt. Ein einsamer Tag über seinen Büchern war ihm hoch willkommen gewesen. Nun saß er hier im Freien und ließ seinen Geist in einer lichteren Welt umherschweifen, fern der grausamen Wirklichkeit. Wieder beugte er sich über das Mikroskop, dieses kostbare Fenster in noch unentdeckte Reiche, und zeichnete mit Entzücken das zarte Geäder im Flügel einer Biene nach.

Da störte ihn die Hausglocke auf. Er runzelte die Stirn. Aber durfte er für einen Kranken nicht daheim sein? Nicht allzu eilig ging er die Tür zu öffnen. Draußen stand Pater Friedrich. Seine erste Regung war wie jedes Mal, wenn die schwarze Gestalt bei ihm eintrat, ein leiser Schrecken. Bei aller Freundschaft

124

wurde er nie den Gedanken los, dass dieser Mann einmal aus sehr ernstem Anlass kommen könnte, er, der alle Geheimnisse der Verhöre kannte und von jeder Besagung wusste. Aber Sebastian schalt sich für diesen Argwohn, drängte das Bedauern über die gestörte Einsamkeit zurück und zog den Pater unter herzlichen Worten ins Haus. Er führte ihn in den Hof und ging Wein und Wasser aus dem Keller heraufzuholen, die Veronika dort sorglich kühl gestellt hatte. »Ihr müsst schon mit meiner Bewirtung vorlieb nehmen, wenn Ihr mir helfen wollt einen allzu stillen Nachmittag zu verbringen.«

So sehr war er bemüht durch eifrig bekundete Gastfreundschaft ein Zögern, einen Schatten von Unmut vergessen zu lassen, den der Besucher vielleicht bemerkt haben könnte, dass ihn die eigene Beobachtungsgabe im Stich ließ. Sonst wäre ihm wohl im Benehmen des Paters eine Befangenheit aufgefallen, ein mehr als gewöhnlicher Ernst. Immerhin fand er ihn, als sie sich endlich beim Becher gegenüber saßen, bleicher als sonst und bemerkte: »Ihr reibt Euch auf in Eurem Amt, Pater Friedrich, und das um ein Nichts, um den Aufwand für ein Verbrechen, das es gar nicht gibt. Was gewinnen Eure Schützlinge, wenn Ihr Euch krank macht!«

Der Pater kehrte aus seiner Geistesabwesenheit zurück. Krank? Dann wäre es keine Krankheit des Leibes. »Ich wäre ein gesunder Mann, wüsste ich . . .« Wieder sank er in sein Grübeln zurück.

Sebastian sah ihn forschend an. »Was ist Euch begegnet? So sah ich Euch noch nie.«

Pater Friedrich wandte ihm ein gequältes Gesicht

zu. »Doktor, woher nehmt Ihr Eure Gewissheit? Ich meine den Glauben, dass es keine gibt.« Er nannte das Wort nicht, das jeder gern vermied. Sie waren dem peinlichen Thema seit ihrem ersten Gespräch immer aus dem Weg gegangen, gewiss, dass keiner von ihnen des andern Meinung ganz teilen könne, so viel ihnen sonst gemeinsam war. Sebastian wunderte sich. Warum jetzt so plötzlich diese direkte Frage?

»Soll das eine Falle sein, Pater Friedrich?«

»Nein, nein! Was denkt Ihr von mir? Ich möchte es wirklich wissen. Ich wünschte mir etwas von Euren Erkenntnissen, Eurer Sicherheit.«

»Ihr zweifelt also?«

»Nein, nein – doch, ja! Sagt mir, wie Ihr zu dieser Gewissheit kamt, ich bitt' Euch! Ich will's bewahren, wie unter der Beichte gesagt.«

»Warum so feierlich, Pater? 's ist kein Geheimnis darum. Ich bin nur anders aufgewachsen als Ihr. Mein Vater war Apotheker und hat mich früh angeleitet über die Kräfte der Natur nachzudenken, Pflanzen und Minerale zu kennen und ihre Wirkung auf den Körper. So habe ich anderes gelernt und eine andere Anschauung von den Dingen gewonnen als Ihr in Eurem Orden.«

Er schob ihm das Mikroskop hin und bedeutete ihm hineinzublicken. Dem Pater war das Instrument nicht fremd. Durch Abbildungen und Beschreibung war die berühmte neue Erfindung den Gebildeten schon bekannt. Aber hineingeschaut hatte er noch nie. Er stieß einen Laut der Verwunderung aus: »Ein geflügeltes Tierlein – ein kleiner Drache – ach, nein, nur eine Biene! Wahrhaftig, ein kleines Gotteswun-

der, sichtbar gemacht durch das menschliche Inge-
nium!«

»Warum nun wieder ein Wunder? Ein Werk Got-
tes ist es, ja, und die Welt ist voll davon. Zahllos sind
sie, ein unscheinbares Gewimmel. Aber der menschliche Geist weiß sich kein höheres Ziel, als sie alle zu
erforschen und die Gesetze, nach denen sie leben
und vergehen.«

»Das Vergängliche zu erforschen, das wäre Euer
höchstes Ziel?«

»Warum nicht? Es ist Gottes Werk genauso gut
wie die unsterbliche Seele, von der Ihr, gebt's nur offen zu, ebenso viel oder noch weniger wisst als ich
von der vergänglichen Welt. Den größten Geistern
unserer Zeit, dem Kepler, dem Galilei, geht's nicht
viel anders. Ich bin nur ein Arzt und mein Wissen ist
nicht mit dem ihren zu messen. Aber so viel weiß ich
doch: Krankheit und Gesundheit, Tod und Leben
sind viel zu gewaltige Dinge, als dass der Zauberspruch irgendeines alten Weibes etwas darüber vermöchte. Das alles läuft nach unbekannten Gesetzen
ab. Vielleicht werden wir eines Tages mehr von ihnen
wissen, in noch fernerer Zeit vielleicht sogar Einfluss
auf sie nehmen können. Das ist unser aller Ziel, wo
und wie wir auch der Wissenschaft dienen.«

Sebastian hatte mit großem Ernst und so voll
Überzeugung gesprochen, dass dem Pater die Wider-
rede nicht leicht fiel. Ohne das gebührende Gewicht
brachte er seine Frage heraus: »Darum glaubt Ihr
also, dass es keine Hexen gibt?«

Der Arzt schüttelte den Kopf mit einem Ausdruck
fast belustigten Eigensinns. »Hab' ich's denn nicht

deutlich genug gesagt? Soviel ich mit meiner unvollkommenen Einsicht erkenne, lassen die Naturgesetze keinen Raum für das Treiben irgendwelcher finsterer Geister. Seht, ich habe in Padua die Anatomie studiert. Auch dort in Welschland glaubt das Volk an Hexen. Aber es nimmt sie leichter und schreit nicht gleich nach dem Malefizgericht, wenn mal ein altes Weiblein sich als Ärztin versucht oder einen Liebestrank braut. Das gehört da eben zum Leben. Nur wo Schlimmeres im Spiele ist, etwa Giftmord oder Ketzerei, da geht es ihnen nicht anders als hier. Aber in den Hörsälen der Universitäten hört man kein Wort von dergleichen – anders als hier. So wären auch mir die Hexen so gleichgültig geblieben wie ich ihnen, wenn sie sich mir nicht in den Weg gedrängt hätten. Ich hätte eben nie wieder den Fuß in die alte Heimat setzen sollen.«

Also doch!, dachte Pater Friedrich, auch er. »Ihr müsstet wohl mehr als ein Mensch sein, wenn Euch niemals im Leben die Macht der Finsternis begegnet wäre.«

»Die Macht der Finsternis? Wenn Ihr darin Dummheit und Bosheit des großen Haufens begreift, so ist sie mir tatsächlich begegnet.

Als ich meine Studien in Padua beendet hatte, zog es mich an eine der großen Hochschulen im Ausland, in Frankreich oder in den Niederlanden. Denn nicht das Tagewerk eines Arztes lockte mich, sondern die Forschung, die hohe Wissenschaft. Meine Eltern waren gestorben. Ich nahm nur kurzen Aufenthalt in meiner Heimatstadt in Thüringen, machte mein Erbe zu Geld und trat mit einem Mantelsack voll Bücher und Instrumente, zwei Pferden und unserm alten Diener die Reise nach Süden an. Und da, seht, verlegte mir die Macht der Finsternis für immer den Weg.

In einem Flecken am Main hatte sich das Volk gerottet um einer Toten noch Schande anzutun. Es war die Schlossvögtin, die im Ruf der Hexerei gestanden hatte und nun vom Teufel geholt worden sein sollte. Die Dorfleute wehrten ihrer Bahre den Einlass in die Gruftkapelle. Der Pfarrer war machtlos oder im Bunde mit ihnen. Ein megärenhaftes Weib, die Buhlerin des Vogtes, wie ich später erfuhr, hetzte laut und verlangte, dass der Leichnam unter dem Galgen verscharrt oder besser noch verbrannt werden sollte. Zwischen der wehrlosen Toten aber und der lechzenden Meute stand als einziger Schutz ein Jüngferchen von fünfzehn oder sechzehn Jahren, das mit ausgebreiteten Armen und flehentlichen Bitten die Gewalttat zu hindern suchte – wie lange noch? Einen noch jüngeren Buben, der mit gezogenem Degen ihr zur Seite stand, führte ein älterer Mann beiseite, wohl ein Diener des Hauses, in guter Absicht anscheinend. Des Mädchens aber nahm sich keiner an. Schon hörte man Stimmen, die auch sie, die Tochter der Toten, als Hexe beschuldigten und das Feuer für sie forderten.

Das alles sah ich von den Stufen des Gasthofs mit an. Denn ich war eben im Begriff gewesen aufzubrechen. Mein treuer Kaspar hatte die Pferde schon vorgeführt. Das Fräulein hatte aber irgendwie von meinem Aufenthalt im Dorf erfahren, und dass ich Arzt sei. Sie rief mich an und flehte, ich möge dem dummen Volk die wahre Todesursache ihrer Mutter offenbaren und bezeugen, dass sie nicht an teuflischer Einwirkung, sondern an schwerer Krankheit gestorben sei. Es war eine sonderbare Situation. Ich wunderte mich selbst darüber, dass ich dieser Bitte willfahrte, vielleicht darum, weil es mir widerstrebte, ein so grausames Unrecht geschehen zu lassen. Dort, auf offenem Dorfplatz, inmitten der von schaudernder Neugier erstarrten Menge, ließ ich mir von Kaspar meine Instrumente zureichen und sezierte die Leiche so sorgsam, wie ich es in der Anatomie zu Padua gelernt hatte.

Der Befund war einfach genug. Ich erkannte auf den ersten Blick, dass die arme Frau einem Leiden erlegen war, das nicht selten und uns Ärzten wohl bekannt ist. Gerade wollte ich meinen Vortrag darüber beginnen, als stände ich im Hörsaal, da unterbrach mich der Pfarrer: »Ihr findet also keine Würmer?«

»Natürlich nicht!«, erwiderte ich, ärgerlich über die dumme Frage, und wollte fortfahren. Aber dazu kam ich nicht, denn mit aufgehobenen Händen überschrie mich der Pfarrer: »So ist es denn am Tage, dass die unselige Vögtin nicht an den Würmern gestorben ist, wie der Physikus immer behauptet hat, nicht an einer natürlichen Krankheit also, sondern aus unbekannter, ohne Zweifel teuflischer Ursache. Tragt sie hinaus auf den Platz vor dem Friedhof, da man die ungetauften Kindlein pflegt zu bestatten!«

Nach diesen Worten brach der Aufruhr los, noch schlimmer als zuvor. Der Spruch des Pfarrers war allen zu milde. Nach der Grube unterm Galgen schrien einige, die Mehrzahl aber immer lauter nach dem Scheiterhaufen, der allein diesen Gräuel tilgen könne. »Und die gleich mit!«, kreischte die Megäre und wies auf das Jüngferchen, das sich schützend – ach so vergeblich! – über die Bahre geworfen hatte.

Nun, es gelang mir im Schutze der Pistolen, die mein Kaspar im Anschlag hielt, sie wegzureißen und vor mir im Sattel zu entführen von dem Ort des Grauens. Fragt nicht erst, Pater, Ihr kennt sie. Später wurde sie meine Frau. Ich hab' den schnellen Entschluss niemals bereut.«

»So hat sie schon einmal im Verdacht der Hexerei gestanden?«, fragte Pater Friedrich.

»Nun ja, Ihr höret die Umstände. Jenes Weib, eine Magd aus dem Schloss, hatte die Leute seit langem gegen sie und ihre Mutter aufgehetzt und ihren Vater, den adligen Vogt eines bischöflichen Weinguts, ganz unter ihre Gewalt gebracht. Zu jener Stunde hatte sie ihn anscheinend mit einem Trunk so berauscht, dass er unfähig war für Ordnung zu sorgen. Seine Tochter meinte später freilich, auch nüchtern würde er nicht viel ausgerichtet haben, so ganz war er jenem Weibe verfallen. Von ihm und der übrigen Verwandtschaft meiner Frau haben wir nie wieder gehört, wie auch sie wohl kaum von uns. Denn wir verschwiegen ihren Namen und hielten unsern Wohnort geheim um nicht Verfolger auf ihre Spur zu ziehen – oder Verwandte, was das Gleiche bedeuten kann.«

»So seid Ihr denn nicht nach Paris oder Leiden gekommen?«, fragte Pater Friedrich mit leisem Lächeln. Er dachte daran, wie doch irdische Liebe das höchste Streben eines Mannes in ganz andere Bahnen lenken könne.

Aber daran dachte Sebastian nicht, denn er erwiderte ernsthaft: »Nein, Pater, und das ist's, warum ich Euch diese alte Geschichte erzählt habe, an die Veronika und ich kaum noch denken. Dies Erlebnis gab meinen Plänen eine ganz neue Richtung. Ich brauchte nur die geifernden Fratzen rings um das edle Totengesicht zu sehen, die Stimme des Pfarrers zu hören mit dem Unsinn über die Würmer und dem unbarmherzigen Richterspruch um zu begreifen, dass dies Volk von einer schlimmeren Seuche ergriffen ist, als ärztliche Kunst zu heilen vermag. Sie zu bekämpfen dünkte mich seit jener Stunde auf dem Dorfplatz eine größere Aufgabe, als fern vom Schmutz und Wahnsinn des Alltags allein der Wissenschaft zu leben, wie ich es vorgehabt hatte. Ich ließ mich als Arzt in einer kleinen Stadt nieder, weit genug von der Heimat meiner Frau. Zugleich mit den Leiden des Leibes bekämpfte ich mein Leben lang den Teufel Aberglauben, wo ich ihn traf – die Macht der Finsternis, wie Ihr ihn nennt.«

»Und mit welchem Erfolg?«

Sebastian zuckte die Achseln. »Auf fünf oder sechs Einsichtige, die ich zu überzeugen vermochte, kommen Hunderte, die mir misstrauen. Niemals ist es mir gelungen, nur einen Hexenbrand zu verhüten. Wir haben oft den Wohnort wechseln müssen.«

»Und Eure Frau?«

»Warum fragt Ihr? Sie war immer eines Sinnes mit mir, meine treueste Mitkämpferin.«

»Der Verdacht von damals hat sich niemals wiederholt?«

»Was denkt Ihr!« Sebastian lachte auf, stutzte dann

aber. Sein Gesicht spannte sich und wurde bleich. »Warum fragt Ihr das, Pater? Was wollt Ihr damit sagen?«

Pater Friedrich schüttelte leise den Kopf, seine Stimme war nur noch ein Hauch: »Nicht sie ist in Gefahr. Aber man sagt ja, die Gabe vererbt sich. Ihren Namen hörte ich nicht in der Folterkammer, aber den Eurer Töchter. Heißt nicht eine von ihnen Sabine?«

5

Aus der Chronik des Malefizschreibers:

Es sind fremde Richter aus andern Städten zugezogen worden samt deren Schreibern, auch neue Lokalitäten als Gerichtsstuben eingerichtet worden, im Kapitelhaus, im Spital und anderwärts, samt neuen Gefängnissen, wo und wie es nur angeht, die Menge der Gefangenen aufzunehmen, so allgemach nach Hunderten zählt. Doch leisten so unvollkommene Notbehelfe der Flucht Vorschub, die manchem in letzter Zeit gelungen ist.

So ist im verwichenen Frühjahr der Doktor Burkhardt entkommen, dem Fürsten sein Leibsyndikus, dessen Eheweib schon im vierten Brand hat drangemusst. Der Doktor Dürr hat den Syndikus zu Anfang des Jahres auf mehrere Besagungen hin lassen gefänglich setzen und verhören. Der Burkhardt hat sich hart gehalten und den Richter verhöhnt, er werde ihm beweisen, dass alles, was hier verhört und protokolliert werde und wofür die Menschen verbrannt würden, nichts sei als Altweibergewäsch, das studierte Leute närrischerweise ernst näh-

men. Bei solchem Gerede läuft ja schon unsereinem die Galle über, der bei mehr als hundert Fällen Protokoll geführt hat und Bescheid weiß. Um wie viel mehr muss es den Richter aufbringen, der ebenso viele Todesurteile gefällt und nicht einmal der eigenen Mutter geschont hat. Der Doktor Dürr ist denn auch in großen Zorn geraten, wie ihn noch keiner gesehen, und hat den Syndicus torquieren lassen, dass es eine Art gehabt hat. Der aber ist fest geblieben und hat unter den Schmerzen immer lauter geschrien, er bleibe dabei und werde es dem Richter beweisen. Sie haben am Ende von ihm ablassen müssen, weil Meister Conz auch einmal hat Feierabend machen wollen. Am nächsten Morgen aber ist der Burkhardt weg gewesen, geflohen, trotz seiner ausgerenkten Glieder. Der Teufel muss ihm geholfen haben. Doch hat man seither den Wächter Christian Übelacker gehenkt, darum, weil er etlichen zur Flucht verholfen haben soll. Der Burkhardt jedenfalls ist nach Speyer entkommen und hat Beschwerde beim Reichskammergericht erhoben. Von da ist im Mai ein Brief gekommen, der Fürstliche Gnaden sehr in Hitze gebracht haben muss und einen bösen Wirbel in der Kanzlei verursacht hat, darum dass man gerade den Syndicus hat entwischen lassen, der als ein gewiegter Jurist noch manche Schererei machen kann. Sonst aber hat das Schreiben aus Speyer keinerlei Wirkung getan. Die Prozesse gehen fort wie zuvor und gehet die Anzahl der Gerichteten nunmehr stark ins zweite Hundert. Es nehmen jetzt die jungen Menschen und sogar die Kinder überhand, so dass einen billig grauen mag vor solcher Verderbnis der Jugend. Die Zauberei ist so allgemein geworden, dass die Kinder auf der Gasse sie einander lehren. Wo will das noch hin!

So sind seither gerichtet worden als namentlich folgende Personen:

Im dreizehenden Brand vier Personen:
Der alte Hof-Schmied,
Ein alt Weib,
Ein klein Mägdlein von neun oder zehn Jahren,
Ein geringeres, sein Schwesterlein.

Im vierzehenden Brand zwei Personen:
Der erst gemeldeten zwei Mägdlein Mutter,
Der Lieblerin Tochter von vierundzwanzig Jahren.

Im fünfzehenden Brand zwei Personen:
Ein Knab von zwölf Jahren in der ersten Schul,
Eine Metzgerin.

Im sechzehenden Brand sechs Personen:
Ein Edelknab von Reitzenstein ist morgens sechs Uhr auf
dem Kanzleihof gerichtet worden und den ganzen Tag auf
der Bahr stehen blieben, dann hernacher den andern Tag
mit den hier beigeschriebenen verbrannt worden,
Ein Knab von zehn Jahren,
Des obgedachten Ratsvogtes zwei Töchter
und seine Magd,
Die dicke Seilerin.

Im siebenzehenden Brand vier Personen:
Der Wirt zum Baumgarten,
Ein Knab von elf Jahren,
Eine Apothekerin zum Hirsch und ihre Tochter.
N.B. Eine Harfnerin hat sich selbst erhenket.

Im achtzehenden Brand sechs Personen:
Der Batsch, ein Rotgerber,

Ein Knab von zwölf Jahren,
Noch ein Knab von zwölf Jahren,
Des Doktor Jungen Tochter,
Ein Mägdlein von fünfzehn Jahren,
Ein fremd Weib.

Im neunzehenden Brand sechs Personen:
Ein Edelknab von Rotenhan ist um sechs Uhr auf dem
Kanzleihof gerichtet und den andern Tag verbrannt worden.
Die Secretärin Schellharin,
Noch ein Weib,
Ein Knab von zehen Jahren,
Noch ein Knab von zwölf Jahren.
Die Bruglerin, eine Beckin, ist lebendig
verbrannt worden.

Im zwanzigsten Brand sechs Personen:
Das Göbel Babelin, die schönste Jungfrau der Stadt,
Ein Student der 5. Schule, so viele Sprachen
gekonnt und ein vortrefflicher Musicus vocaliter
und instrumentaliter gewesen,
Zwei Knaben aus dem Neuen Münster von zwölf Jahren,
Der Steppers Babel Tochter,
Die Huterin auf der Brücken.

Gott sei ihren Seelen gnädig!

Die Flucht

1

Sie hatten das Öllämpchen vom Haken genommen, es ganz hinten unter den Rauchfang gestellt und mit dem großen Kessel abgeschirmt, hatten das Küchenfenster mit einer Decke verhängt und sprachen so leise, dass nicht einmal die Katze im Hof oder die Eule im Schornstein sie hätte hören können. Die Blumensträuße, die Veronika mit den Töchtern so fröhlich heimgebracht hatte, welkten auf der Küchenbank, bitteren Duft verströmend. Es war tief in der Nacht. Die Mädchen waren zu Bett gegangen, ahnungslos, wie die Eltern glaubten, während sie berieten, wie das Unabwendbare abzuwenden sei. »Fort aus der Stadt, fliehen!«, war Sebastians Meinung. Veronika widersprach, nicht heftig, nur mit dem lächelnden Eigensinn einer, die es besser weiß: »Sie sind sicher, glaub es mir, was auch für Gerüchte verbreitet werden.«

»Traust du immer noch auf dies Ehrenwort?«

»Er muss es halten, er kann nicht anders.«

»Selbst wenn er wollte, er könnte es nicht. Er hat auch andere nicht retten können, die es wohl hätten erwarten dürfen, die Bürgermeister, den Domvikar Schwerdt, seinen eigenen Syndicus. Es ist so gekommen, wie ich gesagt hab', damals vor einem Jahr. Das Rad ist nicht mehr aufzuhalten, es rollt bergab nach seinem eigenen Gesetz.«

»Aber wohin sollten wir denn gehen?«

»Was fragst du noch? In die Weinberghütte natürlich. Dort seid ihr sicher.«

»Und wovon sollen wir da leben? Wie willst du als Arzt auf dem Land deinen Unterhalt finden?«

»Ich geb' euch genug mit und später finde ich schon Wege euch zu versorgen.«

»Uns, Sebastian? Gehst du nicht mit uns?«

»Das kann ich nicht. Wenn morgen früh meine Tür geschlossen bliebe, wüsste gleich die ganze Stadt Bescheid. Nein, ich muss tun, als wenn nichts wäre, und eine Ausrede finden für euch. Später einmal, wenn ich hier fortkann, komm' ich euch nach.«

»Dazu kämst du gar nicht mehr. Nein, Sebastian, belüg dich nicht! Dich ließen sie es büßen, das weißt du, und wärest nicht der erste ehrbare und gelehrte Mann in dieser Stadt, den sie verbrennen. Viele täten es nur allzu gern trotz all deiner Verdienste, die sie so rühmen.«

Sebastian ermahnte sie nicht über einer nur eingebildeten Gefahr die nahe, unmittelbar drohende für die Kinder zu vergessen. Sie vor allem gelte es zu retten.

Veronika schüttelte heftig den Kopf. »Sie sind nicht in Gefahr, nicht, solange sie bei mir sind, wir zusammen sind. Ich weiß es! Ach, wenn du mir doch glauben wolltest!«

»Du weißt es, du weißt es! Woher denn? Wie kann ich dir etwas glauben, das jeder Vernunft und Erfahrung widerspricht!«

Sie lächelte bitter. Wenn sie ihm jetzt die Wahrheit sagte, wie würde er sie aufnehmen? Würde nicht alles noch schwieriger werden?

Er hielt ihr Schweigen für Nachgeben und redete ihr zu: »Ein so großes Wagnis ist die Flucht gar nicht. Auch andern ist sie schon gelungen. Der Doktor Burkhardt sitzt in Speyer beim Reichsgericht und ärgert seinen Bischof mit Eingaben. Wenn ihr morgen in der Frühe – nicht zu früh, das fiele auf! – getrennt durchs Stadttor geht, ganz ohne Gepäck, nur so, als wolltet ihr hinaus in die Gärten, dann könnt ihr um Mittag an der Grenze sein und am Abend in unserm Weinberg. Und bald komm' ich nach.«

Es klang tröstlich. War Veronika überzeugt? Mit einem Male meinte sie, man müsse ja nichts übereilen. Vielleicht fänden sich ein paar reisende Klosterfrauen oder eine Dame mit Gefolge, denen man die Kinder ohne Gefahr mitgeben könne. Bis morgen habe es wohl Zeit. Oft vergingen ja Monate, wenn nicht ein Jahr, ehe der ersten Besagung die Verhaftung folge.

»Es ist aber auch schon vorgekommen«, warnte Sebastian, »dass zwischen Besagung und Scheiterhaufen weniger als ein Monat gelegen hat. Nein, lass uns lieber das Schlimmste befürchten. Morgen müsst ihr fort.« Morgen, beschloss die Frau in stillem Eigensinn, gehe ich erst noch einmal auf die Burg. Ich bin meiner Sache sicher genug, aber wenn ich ihn noch einmal sehen, noch stärker binden könnte – niemand dürfte uns anrühren.

Sebastian legte den Arm um sie. »Lass uns noch einmal darüber schlafen, das ist eine alte Weisheit. Diese eine Nacht, so viel davon noch übrig ist, wird uns wohl Ruhe gegönnt sein.« Schon fiel ein Schein der Morgendämmerung neben der verhüllenden

Decke durchs Fenster, die erste Amsel ließ sich hören. »Schlaf noch ein wenig, Veronika, du wirst deine Kräfte heut brauchen.«

Sie widerstrebte nicht. Er half ihr vom Schemel auf und führte sie am Arm die Treppe hinauf, behutsam, als könnte seine Fürsorge ihr etwas ersparen von dem, was unabwendlich bevorstand. Einen Augenblick lang zwang sie sich daran zu glauben, legte den Kopf an seine Schulter – und wusste doch, es war ein Wahn, dass es so wäre. Was zu ihrer aller Rettung geschehen musste, das konnte nur sie tun, mit Gottes Hilfe, wenn ihr die trotz allem gewährt wurde. Als eine Stufe knarrte, flüsterte er: »Still, weck die Kinder nicht!«

»Ach, die schlafen fest«, murmelte sie.

Sie schliefen aber nicht, hatten die ganze Nacht kein Auge zugetan. Als die Mutter ihnen Gute Nacht gewünscht und leise die Tür geschlossen hatte, reckte Sabine den Kopf aus den Kissen und flüsterte: »Du weißt es jetzt, ja?«

Katrin schluchzte in ihre Hände. »Wir sind verloren!«

Die Kleine widersprach tröstend: »Ganz und gar nicht, wenn wir das Richtige tun. Das müssen wir beraten. Die beiden da unten, die werden sich doch nicht einig, weil der Vater anders will als die Mutter, das hab' ich schon gemerkt. Und so wird nichts geschehen, wenn wir nichts tun.«

»Aber was denn, was denn nur?«

Ohne Zögern, fast leichthin kam die Antwort: »Fortgehen, was sonst?«

Katrin schrie leise auf. »Nur das nicht! Wen sie dabei erwischen, der ist gleich ganz verloren.«

»Noch verlorener als verloren!«, spottete das Schwesterchen und tröstete gleich wieder: »Sei nur ruhig, uns erwischen sie nicht und wenn wir am helllichten Mittag durch das Stadttor gingen.«

»Wie willst du das anfangen?«

»Weil ich es so will. Du musst mir nur vertrauen und keine Angst haben, Katrin, hörst du? Sonst gelingt es nicht.«

»Und wohin willst du?«

»Hör zu!« Sabine warf sich hinüber und flüsterte der Schwester ins Ohr: »Der Catalani, weißt du? Er ist immer noch in der Gegend, ich weiß auch wo. Er hat mir mal eine Botschaft sagen lassen. Wenn wir bis dahin kommen – er hat mich doch damals mitnehmen wollen.«

»Sabine! Eine so große Sünde wolltest du auf dich laden? Nein, nein, lieber . . .«

»Lieber sterben? Nein, ich nicht, Katrin! Die Sünde wird uns schon vergeben werden, wenn wir doch gar keinen anderen Ausweg mehr wissen.«

»Gibt es denn keinen?«

»Nein, Katrin, keinen. Nicht einmal in einem Kloster wärst du sicher, wenn die es erst einmal auf dich abgesehen haben.«

»Und die Eltern?«

»Für die ist's besser, sie wissen nichts, wenn sie gefragt werden. Die Mutter schon – still! Sie kommen herauf. Denk dran: keine Angst haben, Katrin, nur mir folgen!«

Sie verstummten, denn die Eltern hätten sie hören

141

können in ihrer Stube nebenan. Aber sie schliefen auch nicht mehr. Mit offenen Augen folgten sie dem wachsenden Tageslicht und dem ersten Sonnenstrahl, der die Wand herunter zu wandern begann, ungeduldig darauf wartend, dass es Zeit werde aufzustehen ohne Argwohn zu erregen.

Als es endlich so weit war, hob Veronika den Kopf und fragte: »Horch! Sind die Kinder schon auf?«

Sebastian hatte nicht geschlafen, sondern ihren Schlummer bewacht, von Sorge wach gehalten. Die kleinen Geräusche des Aufstehens nebenan hatte er auch gehört. Er drückte seine Frau sanft in die Kissen zurück und murmelte: »Lass sie nur heut Morgen deine Arbeit tun, schlaf weiter!«

Sie gehorchte überwältigt von Erschöpfung in einem Gefühl des Geborgenseins.

Danach musste wohl auch er eingeschlafen sein, denn er erwachte von Schritten im unteren Flur und von Stimmen, die durchs Haus nach ihm riefen. Er schrak auf und öffnete die Tür. Die Morgensonne fiel breit herein und im Hausgang unten drängten sich die Patienten. Dass ihn die Mädels aber auch nicht geweckt hatten wie sonst! Rasch kleidete er sich an und war im Nu unten.

Die Leute sagten, sie hätten die Tür wie immer unverschlossen gefunden, sich aber gewundert, weil sie niemanden gesehen hätten, auch nicht die Doktorin und ihre Töchter, die doch sonst immer so früh schon fleißig waren. Noch mehr wunderten sie sich, als der Doktor kaum antwortete und den ersten Kranken fast unfreundlich hereinwinkte.

142

Bald darauf kam Veronika eilig herunter, ging in die Küche, in den Hof, öffnete und schloss Türen. Dann trat sie in die Ordination und flüsterte ihrem Mann zu, der gerade einen Augenblick allein war: »Du! Sie sind fort, beide, nirgends im Haus zu finden.«

»Sie werden zum Krämer gegangen sein oder zum Brunnen.«

»Nein, nein, dazu sind sie schon zu lange fort. Wo können sie nur sein?«

Sie blickten einander an mit dem gleichen Gedanken. »Sei still!«, sagte Sebastian streng, die Hände auf ihren Schultern. »Hab Geduld und verrat dich nicht! Wenn die hier etwas merken, ist's bis Mittag in der Stadt herum, und dann ist alles verloren.«

Sie gehorchte, biss die Zähne zusammen und ging ihm wie gewohnt zur Hand. Als sie einmal entbehrlich war, schlüpfte sie aus der Haustür, lief ein paar Schritte zum Brunnen und weiter, bis zum Krämer um die Ecke, spähte unauffällig die angrenzenden Gassen entlang – vergebens.

Endlich nahm der Vormittag ein Ende. Der letzte Patient ging. Veronika schloss die Tür hinter ihm ab und wandte sich ihrem Manne zu, Verzweiflung im Blick. »Wohin sind sie gegangen? Was sollen wir tun?«

Er zog sie in die Stube. »Vielleicht ist es so besser, als wir dachten. Sie haben selbst gehandelt. Der Sabine trau' ich's zu, dass sie sich einen Plan gemacht hat. Dann haben sie das Klügste getan, was sie konnten.«

»Aber wohin? Wohin können sie denn fliehen?«

»Ja, wohin? Das müssen wir ihrem Glück überlassen, ihrer eigenen Klugheit – und ihrem Schutzengel. Wir können ihnen nicht mehr helfen. Wir dürfen es nicht einmal versuchen, denn wir brächten sie nur in Gefahr.«

Sie senkte den Kopf und ließ die Arme fallen. »Du hast wohl Recht.«

Sie wandte sich um, ging langsam in die Küche und fing sinnlos irgendeine Arbeit an. Er blickte ihr nach. Die Zuversicht, die er eben noch vorgetäuscht hatte, erlosch auf seinem Gesicht. Er setzte sich an den Tisch, griff blind nach einem Buch und blätterte darin, aber er sah keine Zeile.

Dann, gerade als es die erste halbe Stunde nach Mittag schlug, klopfte es dreimal an die Haustür, Holz auf Holz. Veronika hörte, wie Sebastian öffnen ging, und trat lauschend in den Flur hinaus. Der Büttel, ein grimmiger Knebelbart, den der Doktor auch schon einmal kuriert hatte, stand draußen mit zwei Stadtknechten und sagte rau: »Eure Töchter, Herr Doktor! Tut mir Leid, aber sie sind dran.«

»Sie sind nicht daheim«, erwiderte Sebastian ruhig und fuhr fort: »Heute in aller Frühe sind sie gegangen Gemüse und Beeren zu ernten im Garten von – von Freunden – draußen vor dem Zeller Tor.«

»Erst heute Abend kommen sie wieder!«, rief Veronika hastig.

»Ist das auch wahr? Ungern möcht' ich Euch das Haus durchsuchen lassen.«

»Das tut nur!«, sagte Sebastian und trat zur Seite den Eingang freigebend. Er legte dabei, wie zufällig den Arm um die zitternde Frau.

Der Büttel zögerte, zog den schon vorgesetzten Fuß von der Schwelle zurück und wischte sich die Stirn. »Euer Wort, Herr Doktor, ist genug«, murmelte er widerwillig. Dann aber, vielleicht der beiden Knechte wegen, geriet er in Zorn, stampfte auf und brüllte: »Dass Ihr mir keinen Fuß auf die Straße setzt! Dass Ihr die Dirnen nicht heimlich warnt oder versteckt! Einer bleibt zur Wache hier.«

»Wie du willst!«, sagte Sebastian, schlug die Haustür zu und stieß den Riegel vor. Herein sollte jedenfalls keiner ohne anzuklopfen. Dann wandte er sich nach seiner Frau um.

Sie stand bleich an die Wand gelehnt und sagte mit fremder Stimme: »Ich bin schuld, heute musst du es endlich wissen.« Er hielt ihr die Hand vor den Mund, führte sie von der Haustür weg in seine Stube, drängte sie auf einen Sessel, mischte eine Arznei für sie und hielt ihr das Glas an die Lippen. Sie aber schob seine Hand fort und blickte ihn aus wilden Augen an. »Nein, du musst es wissen, jetzt, wo es fast zu spät ist. Ich hab' dich immer belogen.«

»Schweig, um Gottes willen, sei still!«, beschwor Sebastian sie und umschlang sie fest. Wenn der da draußen nur ein paar Worte hörte! »Hast du denn den Verstand verloren?«

Sie wand sich los und redete weiter, nicht laut, aber schneidend eindringlich: »Du musst mich anhören. Niemals hast du an Hexen glauben wollen und nicht gewusst . . .«

Nun war er gewiss, dass Schrecken und Sorge ihr den Geist verwirrt haben mussten. »Komm mit hinauf in die Schlafstube«, flüsterte er. »Da sollst du mir alles sagen, hier könnte uns jemand hören.« Er war entschlossen sie mit Gewalt in den Oberstock zu schleppen, wenn es nötig sein sollte, und sie einzusperren, bis sie wieder zur Vernunft gekommen war, zu ihrem klaren, heiteren Selbst.

Aber Gewalt anzuwenden war nicht nötig. Sie ließ sich willig die Treppe hinaufführen, wie in der Nacht zuvor, ließ sich auf die Kissen betten und schluckte jetzt gehorsam die dargebotene Arznei. Wenn sie nur einschläft, dachte er, ist alles gut. Sie wird gesund aufwachen und wie sonst sein. Als er aber ihr Gesicht betrachtete, begann er zu ahnen, dass diese Hoffnung trog. Ja, sie würde einschlafen, das Mittel, das er ihr gegeben hatte, war stark genug. Aber wenn sie erwachte, würde nichts anders sein als jetzt. Ihr Geist war nicht verwirrt. Vielmehr galt es einer erbarmungslosen, lange verheimlichten Wahrheit ins Auge zu sehen. Sebastian zog sich einen Stuhl neben das Bett und setzte sich um auf das Erwachen seiner Frau zu warten.

2

Unter der brennenden Mittagssonne stiegen indessen die beiden Mädchen eine kleine Stunde von der Stadt entfernt auf steilen Weinbergpfaden bergan. Sie hatten die belebte Uferstraße gemieden, wo sie erkannt und leicht verfolgt werden konnten, und sich über Feldwege und Wiesensteige, abseits der Dörfer, bis an den Fuß eines langen, mit Weinbergen bedeckten Hanges herangepirscht. Über ihm in dichtem Wald verborgen zog sich die Landesgrenze hin. Der Vater hatte das einmal auf einem Spaziergang gesagt, mehr wussten sie nicht, aber auf dies Wissen bauten sie ihre Hoffnung.

Bisher war alles gut gegangen. Sie waren kaum Menschen begegnet, jetzt zuletzt noch zwei Bauern, die auf den Uferwiesen beim Heumachen waren. Denen hatten sie lachend zugewinkt, ehe sie in den Weg durch die Weinberge eingebogen waren. Noch eine gute Stunde Anstieg lag vor ihnen. Was sollte ihnen da noch zustoßen!

Sie ahnten nicht, dass die beiden Bauern, Vater und Sohn, ihnen nachblickten, die Hände über den Augen. »Zwei aus der Stadt sind's«, brummte der Vater. »Sieh nur, wie sie die langen Röcke aufschürzen müssen! Was wollen die in den Weinbergen?«

»Ist doch klar, Vater«, erwiderte der Sohn. »Auch in diesem Jahr wird wieder der Wein verderbt werden. Es soll mich nicht wundern, wenn's heut noch ein Unwetter gibt.«

»Zusammenschlagen hätt' man die müssen!«, knurrte der Vater.

»Das rat' ich nicht, Vater. Könnt dir leicht die Hand verdorren oder sonst ein Unheil uns treffen. Aber zur Stadt renn' ich, sag' beim Gericht Bescheid. Wenn die zwei solche Weiber auf frischer Tat ertappen können, dann kommen sie gerannt. Vielleicht kann auch das böse Werk noch gehindert werden, die haben ja ihre Pfaffen und Teufelsaustreiber bei der Hand.«

»Tu das, Bub. Ich pass' derweil auf, wo sie bleiben«, sagte der alte Bauer, setzte sich auf den Rain und fuhr fort den Hang zu beobachten, wo die hellen Kleider zwischen den Weinstöcken immer wieder auftauchten und verschwanden. Klettert nur wacker!, dachte er böse. Ihr kommt nicht davon.

Der Bursche wusste einen kürzeren Weg als die beiden Mädchen und war schneller zu Fuß. Schon eine halbe Stunde später war er am Stadttor. Dort stand ein Trupp Stadtknechte und blickte missmutig in den flimmernden Mittag über dem Tal. Das Tor, durch das die Doktorstöchter am frühen Morgen hinausgewandert waren, hatten sie bald ausfindig gemacht. Natürlich war es nicht das Zeller Tor gewesen. Aber wie nun weiter? Gärten gab es hier nur wenige und bei der Hitze da draußen in den Wiesen zu suchen, ohne zu wissen wo? Das lockte wenig.

»Lasst die armen Dinger laufen!«, meinte einer und keiner widersprach. »Kommt doch auf eine mehr oder weniger nicht an und sind sie welche, holt sie doch einmal der Teufel, hier oder anderswo.«

Da kam atemlos der Bursche gelaufen: »Ich hab' zwei Hexen gesehen in den Weinbergen. Ihr könnt sie gerade bei ihrem Werk erwischen, wenn ihr schnell macht.«

»Ja? Wo, wo?« Hitze und Nachsicht waren vergessen, dafür der Jagdeifer der Meute erwacht. Den Bauernburschen voran machten sich vier Knechte unter Führung des Büttels alsbald auf den Weg, nicht eben eilig, dazu war es zu heiß, aber stetig, schweren, unaufhaltsamen Schrittes den Weinbergen zu. Bald gesellten sich zu ihnen ein paar Männer mit Knüppeln und Dreschflegeln, die der alte Bauer aus seinem

148

Dorf herbeigerufen hatte, zur willkommenen Hatz. Gegen Hexen kann man nie stark genug bewaffnet, nie zu zahlreich sein, meinten sie. Auch ein paar Krüge mit Most und Branntwein hatten sie mitgebracht. Am Fuß des langen Hanges hielten sie erst einmal Rast nach dem Marsch und tranken sich Mut an.

Oben im Weinberg rasteten arglos die beiden Mädchen. Sie waren rasch bergan gestiegen ohne auf die Hitze zu achten, die ihre Schläfen hämmern und ihren Schweiß strömen ließ. Katrin war immer mehr zurückgeblieben. Als sie endlich die Schwester erreichte, die auf einem schmalen Grasrain kauernd auf sie wartete, keuchte sie, sie könne nicht weiter. Sabine sah sie an. Das schöne Engelsgesicht glühte wie im Fieber und war es nur Schweiß, was darüber rann?

»Du weinst ja, Katrin!«, rief die Kleine verwundert und dann überströmend vor Mitleid: »Katrin, Katrinele! Hast du denn solche Angst?«

Die Ältere schüttelte heftig den Kopf. Sprechen konnte sie nicht vor Atemnot und unterdrücktem Schluchzen. Sie warf sich ins Gras, das Gesicht in den Armen, und wand sich wie in großen Schmerzen. Sabine legte ihr die Hand auf die Schulter und versuchte zu trösten: »Ruh dich ein bisschen aus! Bald wird es kühler und wir haben es leichter. Sieh nur, der Wald ist nicht mehr weit!«

Ging von der Berührung dieser Hand Ruhe aus? Katrin schluchzte leiser, hörte auf, schlief vielleicht sogar einen Augenblick. Dann, unvermutet rasch erholt, setzte sie sich auf, wischte das Gesicht mit der Schürze ab und sagte: »Wir hätten das nicht tun dürfen, nicht fortgehen. Nun werden sie die Eltern dafür bestrafen. Wir müssen umkehren.«

»Das können wir nicht mehr, Katrin. Wer wegzulaufen versucht hat, ist doppelt verdächtig und wird gleich verhaftet. Jetzt müssen wir weiter, ob wir wollen oder nicht.«

»Ich will aber nicht. Lass mich umkehren!«

»Katrin, du bist von Sinnen. Du wirst keinem nützen und nur den Eltern Kummer machen. Komm doch mit! Wir haben es ja fast geschafft.« Nun flossen die Tränen auf beiden Seiten. Sabine, fest entschlossen, verzweifelte bei dem Gedanken daran, die Schwester zurückzulassen zu einem grässlichen Schicksal.

Plötzlich aber hörte sie auf zu weinen und erstarrte im Lauschen. Sie hatte Stimmen gehört, noch weit, tief unter ihnen am Hang, Männerstimmen und das Rollen von Steinen unter plumpen Füßen. »Da oben müssen sie stecken!«, klang es deutlich herauf. »Sie kommen!«, flüsterte Sabine rasch begreifend. Diese Bauern mussten sie verraten haben.

Sie sprang auf und zog die Schwester mit sich zwischen die Weinstöcke hinein, abseits vom Pfad. Dort, etwas zur Linken, winkten die Eichenwipfel ganz nah über dem lichteren Rebenlaub. Im Wald würden sie gerettet sein, der Gedanke gab ihr auch jetzt Flügel. Lautlos und flink huschte sie zwischen den Rebstöcken dahin und hielt nur manchmal an um Katrin nachkommen zu lassen. Die folgte ihr so schnell sie nur konnte, ohne mehr einen Gedanken an Umkehr. Die Stimmen der Verfolger, die immer näher klangen, ließen sie davor schaudern in ihre Hände zu fallen.

Dann blieb Sabine plötzlich stehen, vielmehr kauern zwischen dem Weinlaub. Katrin holte sie ein und sah über ihre Schulter hinweg, was sie aufhielt. Vor ihren Füßen klaffte eine Schlucht, ein ehemaliger Steinbruch, von Ginsterbüschen und jungem Baumwuchs ausgefüllt. Jenseits winkte der rettende Wald – unerreichbar.

Wirklich unerreichbar? Sabine spähte umher. Da hing, etwas seitwärts, ein wilder Kirschbaum, vom Sturm umgelegt, quer über die Schlucht. Diesseits hielten ihn noch ein paar Wurzeln am bröckelnden Rand fest, jenseits lag die Krone im Buschwerk verfangen. Eine gebrechliche Brücke in die Freiheit! Sabine streifte die Schuhe ab, schürzte die Röcke bis zum Knie, betrat den Stamm und wippte ein wenig. Er trug sie! Sie tat noch einen Schritt und streckte der Katrin die Hand entgegen. »Komm rasch! Tu wie ich!«

Die schauderte zurück. Aber die Angst vor den Stimmen war stärker. Sie riss sich die Schuhe von den Füßen, raffte den Rock und packte die Hand der Schwester mit fest geschlossenen Augen.

Noch auf ihrem armseligen Sterbebett, wenige Jahre später sollte die Katharina Reutterin bekennen, ihre Schwester Sabine habe sie damals im Flug über einen Abgrund getragen, was sie als die größte Sünde ihres kurzen Lebens bereute. Es war aber kein Flug gewesen, nur zwei Sprungschritte und ein Schwung, wie ihn die Todesangst auch zwei so ungeschickte Städterinnen in ihren schweren Röcken lehren kann. Sabine riss die Schwester mit hinüber. Sie stürzten in brechendes Geäst, krochen blutig zerschrammt und mit zerrissenen Kleidern weiter, bis sie sicher versteckt im Unterholz hockten. Hinter ihnen polterte der Stamm durch die Erschütterung aus seinem letzten Halt gelöst in die Tiefe.

Gerade hatten die Männer auf dem Grasrain, wo die Mädchen eben noch gerastet hatten, ihre Spur verloren und schwitzend und missgelaunt die Einsicht gewonnen, dass die beiden nach Art solchen Gelichters sich durch die Luft davongehoben haben mussten. Da hörten sie das Krachen eines stürzenden Baums und etwas wie einen unterdrückten Mädchenschrei.

Das war im alten Steinbruch, wussten die Ortskundigen sogleich. Wie hatten sie den vergessen können! Natürlich hatten die sich da versteckt, war ja von je ein verrufener Ort und niemals recht geheuer. Sie rannten los, laut schreiend um sich Mut zu machen und standen bald an dem steilen Absturz, der ihnen den Weg verlegte. Da konnte keiner weiter, keiner mit nur menschlichen Kräften. Sie starrten in die Tiefe, deren Grund ihnen Buschwerk und Felsvorsprünge verdeckten. Da unten schwankten noch Zweige, kleine Steine und Erdbrocken rieselten vor ihren Füßen hinunter und schlugen tief unten auf.

»Abgestürzt!«, murmelte einer und der Büttel meinte, sie müssten hinunter um der Ordnung halber jedenfalls die Leichen zu bergen. Davon wollten aber die Einheimischen nichts wissen. »Dass auch uns der Schwarze holt! Nein, was da unten liegt, tot oder noch lebendig, das gehört ihm.«

Dann sahen sie den Schuh, einen Mädchenschuh aus dunkelrotem Korduanleder, mit zerrissenen

Knöchelbändern. Er lag hart am Felsrand. Einer griff danach, aber die andern schrien laut: »Nicht! Rühr ihn nicht an!« Wer konnte wissen, welcher Zauber an dem Stückchen Leder hing! Jedenfalls gab dieser Schuh, leicht hingeworfen, wie er da lag, allen sogleich die Vision eines Auffliegens in die Luft, eines gewaltsamen Emporgerissenwerdens. »Ja, die hat wohl wirklich der Teufel geholt!«, murmelte sogar der Knebelbart.

Auf seinen Wink spießte einer der Stadtknechte das zierliche corpus delicti auf die Hellebarde zum Wahrzeichen dafür, dass sie die Spur der geflohenen Hexen verfolgt hatten bis an die Grenze des menschlich Wahrnehmbaren. Mehr konnte niemand von ihnen verlangen. Dann beeilten sie sich den unheimlichen Ort zu verlassen.

3

In den Stuben des Doktorhauses wuchsen schon die Abendschatten, während draußen über der Gasse der Himmel noch leuchtete, von Schwalben überschwirrt. Veronika schlug die Augen auf. Sie lag auf dem großen Bett in der Schlafstube und sah ihren Mann neben sich sitzen, wie schon bei ihrem Einschlafen. Es lag etwas Unentrinnbares in seinem ruhigen Dasitzen, die Ellbogen auf die Knie gestützt, den Blick auf sie gerichtet. Als er sah, dass sie wach war, fragte er leise: »Woran bist du schuld?«

Sie antwortete wie aus dem Traum: »Weil ich mich auf das Ehrenwort verließ, weil ich geglaubt hab', ich

153

könnte ihn zwingen es zu halten, wie ich ihn zwang es zu geben.«

»Du hättest den Bischof gezwungen? Wie denn?«

»Mit der Macht, die ich von meiner Mutter geerbt hab', über Menschen und über Dinge.«

Er zuckte zusammen und beugte sich näher zu ihr. »Ist es das, was ich nicht gewusst haben soll?«

»Ja. Du wusstest es nicht, weil du es nicht wissen wolltest: dass ich die Gaben einer Hexe habe, wenn ich auch durch Gottes Gnade keine bin.«

»Was redest du da? Du, die du selbst beinah ein Opfer des Wahns geworden bist!«

»Ja, Sebastian, du hast mich ihnen entrissen und noch viel mehr getan. Du hast nichts gefragt und mich zur Frau genommen. Warum dich kränken, indem ich dir Dinge offenbare, nach denen du nie gefragt hast.«

»Mich kränken? Dafür hast du mich all die Jahre hindurch belogen und so getan, als wärst du eines Sinns mit mir.«

»Das war ich auch, das bin ich noch. Der Hexenwahn, gegen den du kämpfst, der ist auch mir verhasst.«

»Ach, Worte!«

»Nein, der Kern der Sache! Diese armen Leute, die sie da zu Hunderten verbrennen, die sind ja keine, so viele gibt's gar nicht. Das Laster aller Laster besteht nur im Hirn der Pfaffen und Juristen. Von den wahren Hexen, den wenigen, die wirkliche Macht haben, wissen die alle nichts.«

»Von dir das zu hören! Es gibt keine, weder viele noch wenige. Rede keinen Unsinn!«

»Kein Unsinn, Sebastian! Auch du weißt nichts von

ihnen, so klug du bist. Es gibt nun einmal Menschen, Frauen zumeist, die können mehr als andere.«

»Und du bist eine davon?«

»Ja, Sebastian – spotte nicht! Das hab' ich geglaubt bis heut.«

»Wenn du solche Macht hättest, dann hätte dein Leben, mein' ich, wohl etwas glücklicher verlaufen müssen.«

»Ich bin glücklich gewesen, Sebastian, bis gestern Abend. Nicht spotten! Von meiner Mutter hab' ich die Gabe geerbt und sie von der ihren. Immer ist's die Jüngste von drei Töchtern, auf die es übergeht. Wo nicht drei Töchter sind, kann's auch eine sein, die an einem Freitag bei Neumond geboren ist – oder einer. Auch wer einer sterbenden Hexe die Hand gibt, übernimmt die Gabe von ihr.«

Sebastian schüttelte fassungslos den Kopf, indessen sie mit einer Ruhe, die ihn schrecklich dünkte, fortfuhr: »Ich war daheim die Jüngste von dreien, wie unsere Sabine.«

»Sabine! Hast du der das auch eingeredet?«

»Da war nichts einzureden. Sie hat die Gabe und weiß es, ist von selbst darauf gekommen, wie auch ich einmal. Nur hatte ich es leichter. Mich nahm die Mutter in die Schule. Sie lehrte mich die Gabe zum Guten anzuwenden, Kräuter zu kennen, Tränke zu brauen, auch die Kräfte der Seele zu gebrauchen, Entfernte herbeizuziehen, Schmerzen zu stillen, Schlaf zu spenden – aber auch den Tod.«

»Hör auf! Es fehlt nur noch, dass du mir weismachst, du hättest mir ins Handwerk gepfuscht, wenn du vorgabst mir zu helfen.«

»Das hab' ich auch, Sebastian, aber nur dir zuliebe und zunutzen. Die Tränke, die ich für deine Kranken braute, hast du immer gelobt. Nie hast du dich gewundert, dass sie ruhig wurden und die Schmerzen weniger spürten, wenn ich ihnen die Hand auflegte. Weißt du noch den Brauknecht, der in den Kessel gestürzt war und Tag und Nacht schrie vor Schmerzen, und keiner konnte ihm helfen? Der schlief dann plötzlich ganz sanft ein, unter meiner Hand, aber du ahntest nichts.«

»Das hast du gewagt?« Er starrte sie voll Grauen an wie ein fremdes Geschöpf. »Du hast mich teuflisch verhöhnt, mich und meine Kunst, hinter meinem Rücken.«

»Es erfuhr ja niemand. Ich wollte dir helfen und ich vermochte es. Das war mir genug.«

»Solche Hilfe braucht' ich nicht und wollte ich nicht, hätte sie nie gewollt und dir verboten, wenn ich's geahnt hätte. Du hast mein Vertrauen getäuscht.«

Der Vorwurf traf. Darauf gab es keine Antwort, nur eine demütige Bitte um Verzeihung, wenn Sebastian sie gewähren konnte. Ach, mit jedem Wort, das gesagt wurde, schwand diese Hoffnung mehr!

»Nun gut!«, sagte er endlich voll Bitterkeit nach einer tödlichen Stille. »Ich muss mich wohl damit abfinden, dass ich mein ganzes Vertrauen einer geschenkt habe, die zwar so abergläubisch ist wie das dümmste Bauernweib, aber doch schlau genug gewesen ist mich jahrelang etwas anderes glauben zu machen.«

Das war sein Urteil über sie. Es wurde nicht gemildert dadurch, dass er ihr nicht glaubte. Der Wahn war es, den er ihr nicht verzieh.

»Aber sage mir doch, du große Zauberin«, fuhr er spottend fort, »wie kamst du denn damals in die Lage, aus der ich dich befreien musste mit meinen geringen Gaben?«

Sie spürte den Hohn. Aber wenn er überhaupt noch fragte und sie antworten konnte, war immer noch Hoffnung. Sie erwiderte: »Allmächtig sind wir nicht, wenn auch mächtig über vieles. Die Mutter wurde krank. Sie sah, dass keins ihrer Mittel mehr half, und wusste, dass sie sterben musste. Der Physikus aus der Stadt wollte es freilich besser wissen und plagte sie mit teuren Mitteln gegen die Würmer, die, wie er sagte, ihr Inneres aufzehrten. Damals riss unsere oberste Magd die Herrschaft im Hause an sich. Über den Vater herrschte sie längst. Sie konnte den Tod der Mutter nicht abwarten und hatte sie schon seit langem im Dorf als Hexe verleumdet, dass niemand mehr ihre Hilfe annehmen wollte. Sie brachte es auch fertig, dass keine der Mägde die Mutter in ihrer Krankheit pflegen mochte. Ohne meinen kleinen Bruder und mich wäre sie im eigenen Haus elend verschmachtet. Denn sogar der Vater wagte nichts gegen das Weib. Mich hasste sie auch und gedachte mich zugleich mit der Mutter loszuwerden, wie du's ja erlebt hast. Sie wollte den Vater heiraten und da war nur ich im Wege. Denn meinen Schwestern und ihren hochmütigen Männern wär's einerlei gewesen. Die hielten allesamt nicht viel vom Vater. Mein kleiner Bruder zählte nicht, der sollte doch bald zum Heer. Da blieb nur ich und beinah hätte sie's ja auch geschafft.«

157

»Und du konntest dich nicht wehren, du, mit all deiner Macht?«

»Nein, denn ich hatte der Mutter versprechen müssen, die Gabe niemals im Bösen, nie zum Schaden eines Menschen anzuwenden. Sonst wäre ich wirklich eine Hexe geworden. Auch wusste das Weib etwas von mir, das niemand sonst wusste, und nutzte das aus.«

»Meinst du – das Kind?«

»Ja, das Kind. Du hörtest ja, wie sie vor den Leuten ausschrie, es sei ein Teufelsbalg.«

»Fast möchte ich es selbst glauben«, spottete Sebastian rau. »Du hast mir nie gesagt, wie du dazu gekommen bist.«

»Sebastian!« Zum ersten Mal begehrte sie auf. Er sah ein feines Rot des Zorns und der Scham in ihr Gesicht steigen. Sie brauchte einen Augenblick, ehe sie weiterreden konnte: »Du hast mich nie gefragt und wusstest doch von Anfang an Bescheid. Du hast Jakobe bei ihrer Geburt hingenommen wie deine eigene Tochter. Sollte ich davon anfangen und dir aufdrängen, was du gar nicht wissen wolltest?«

»Jetzt – heute möchte ich es wohl wissen«, sagte Sebastian, »da wir schon einmal dabei sind, die Wahrheit zu sagen.«

Veronika erwiderte leise: »Ich schämte mich. Es war eine Torheit gewesen, ein dummer Streich, zu dem ich meine Gabe missbrauchte. Wir hatten oft Gäste im Haus zur Jagd und zur Weinlese. Einmal war ein Junker dabei, ein Neffe des Bischofs, kaum älter als ich, aber weit gereist, keck, ein junger Weltmann, wie es mir schien. Er machte mir ein wenig den Hof. Da reizte es mich, an ihm meine Macht zu erproben, zu sehen, wie weit ich ihn mir gefügig machen konnte. Ein paar Tage lang war das ein spannendes Spiel. Dann aber, eines Nachts, ging es weiter, als ich gewollt hatte, und so kam es.«

»Aber der Junker? Du warst doch schließlich ein adeliges Fräulein. Er hätte dafür einstehen müssen, besonders als Neffe des Bischofs.«

»Oh, er hatte Glück. Am Morgen danach kam die Nachricht, dass er zum Domherrn bestimmt war an Stelle seines älteren Bruders. Das bedeutete, bei der hohen Verwandtschaft, eine glänzende Zukunft für ihn. Alle sprachen darüber. Von da an hatte er keinen Blick mehr für mich, nicht einmal beim Abschied. Nun, ich verschmerzte es und hätte ihn bald genug vergessen – ohne das Kind. Warum sollte ich dir das alles erzählen? Ich schämte mich nur noch.«

»Und wer war er?«

Sie blickte ihren Mann groß an, voll Verwunderung, dass er noch fragte. Da begriff er endlich und presste die Lippen zusammen. Das also war das ganze Geheimnis um den zauberischen Einfluss auf Seine Fürstlichen Gnaden. Am Ende ließ sich alles so erklären.

Es war dunkel geworden. Er suchte nach dem Feuerstahl, schlug Funken und zündete die beiden Kerzen an, die in Zinnleuchtern auf dem Kleiderkasten standen, weniger weil ihn nach Licht verlangte, als um Zeit zu gewinnen. Nach einer Weile, während der er vieles in sich bezwungen hatte, sagte er kalt: »Du hast mir da viel Unsinn erzählt, nichts, was sich nicht auf natürliche Weise erklären ließe. Was übrig bleibt, ist Altweibergewäsch, der gleiche Wahnsinn, gegen den ich mein Leben lang gekämpft habe – allein, wie ich jetzt weiß. Damit muss ich fertig werden. Es ist schon besseren Männern so gegangen. Ich könnte es vergessen. Wenn aber den Kindern etwas zustößt – du hast sie hineingerissen, du bist schuld, dass sie hier geblieben sind, in der Gefahr –, das könnte ich dir nie verzeihen.« Das Letzte sagte er leise und stockend, es fiel ihm schwer, aber er konnte nicht anders.

Sie senkte den Kopf. Was sollte sie antworten? Er hatte ja Recht. Sie selbst verzieh es sich nicht. Wenn es so kommt, dachte sie, dann gibt es nur noch eins für mich, aber auch das wird ihn nicht versöhnen. Dann hab' ich sie alle drei verloren. Stumm standen sie voreinander in dem flackernden Halblicht, das die Kerzen verbreiteten. Es gab kein Wort mehr zu sagen, das den andern erreicht hätte.

Da läutete die Hausglocke. Beide zuckten zusammen und suchten einander mit dem gleichen Blick. Wieder war es wie so oft in den vergangenen fünfundzwanzig Jahren: Die Gefahr draußen, der immer gleiche Feind, und hier drinnen sie beide, allein, untrennbar aufeinander angewiesen. Aber diesmal umschlangen sie sich nicht. Nur die Hände packten einander, fast ohne ihren Willen. Es läutete noch einmal.

»Du bleibst hier«, flüsterte Sebastian, »und kommst nicht herunter, ehe ich dich rufe!« Sie nickte gehorsam und ahnte, es war das letzte Mal, dass er sie so zu schützen versuchte, vielleicht mehr eine gewohnte Geste als sein Wille.

Sie lauschte oben an der Treppe, hörte ihn hinuntergehen, die Tür entriegeln und öffnen, eine fremde Männerstimme und ein leises Gemurmel im Flur. Dann ging die Tür zur Studierstube und nichts war mehr zu hören. Gleich darauf kam Sebastian die Treppe herauf, rascher als sonst. Atemlos blickte sie ihm entgegen. War es Nachricht von den Töchtern? Konnte sie anders sein als schlimm?

Er zog sie ins Zimmer, nahe an die Kerzen, und hielt ihr etwas unter die Augen, einen Schuh. »Kennst du den?«

Sie unterdrückte einen Schrei. »Der Katrin ihrer!«

»Weißt du das genau?«

»Ja, ja! Lass sehen! – Ja, ich kaufte sie ihr damals zu der Taufe bei Jakobe. Was . . .?« Sie wagte nicht weiterzufragen.

Er atmete tief auf. »Es scheint, dass sie es geschafft haben und entkommen sind. Pater Friedrich brachte die Nachricht. Komm herunter und hör ihn an!«

4

Pater Friedrich an Pater Tannhofer:
den 9. September 1628

Mein verehrter Freund!

Dies wird wohl für lange Zeit der letzte Brief sein, den Ihr von mir erhaltet, vielleicht der letzte aus dieser Stadt. Denn heute Morgen habe ich den Rektor Pater Sandemann gebeten mich aus der Pflicht zu entlassen weiterhin mitzuwirken an dem schreienden

Unrecht, das an dieser Stadt geschieht. Ja, dazu habe ich mich durchgerungen und es gerade so ausgesprochen, wie ich es hier niederschreibe. Der Rektor schien eher erschrocken als zornig, hat mich, da Zureden nichts half, in die Krankenstube verbannt und Hausarrest verhängt, bis er über mich berichtet hätte und Weiteres beschlossen sei. Doch erhielt ich noch einmal die Erlaubnis Euch zu schreiben, vielleicht weil man sich von einem solchen Brief eine gute Wirkung erhofft auf meine Anfechtung, wie sie es nennen. Ich zweifle nicht daran, dass mir diese Freiheit bei Ergreifung strengerer Maßnahmen entzogen werden wird, und so will ich diese letzte Gelegenheit nützen. Denn vor allem andern liegt mir daran, dass Ihr meinen Entschluss versteht.

Von meinen wachsenden Zweifeln an dem hier geübten Verfahren gegen die Hexen habe ich Euch des Öfteren berichtet. Ihr werdet nicht verfehlt haben zu erkennen, dass diese ein Maß erreicht haben, das die Erfüllung meiner Pflichten, wie sie von mir erwartet werden, ernstlich in Frage stellt. Schon länger rang ich mit mir, auf welche Weise ich den unerträglichen Zwiespalt lösen könnte ohne peinliches Aufsehen zu erregen. Da zwang mich gestern ein Ereignis, das mein innerstes Gefühl ergriff, zur Entscheidung.

Es handelt sich um den öfter erwähnten Arzt und die Seinen. Ich wusste, dass die Töchter denunziert worden waren. Nach reiflicher Überlegung gewann ich die Einsicht, dass es nicht unvereinbar mit meinen Pflichten wäre dem Vater eine Warnung zukommen zu lassen. Wider schlimmere Erfahrung hoffte ich, es könnte seinem Ansehen und seiner Klugheit gelingen die Seinen vor der drohenden Anklage zu retten. Ich ahnte nicht, wie nahe ihnen das Unglück schon war.

Als ich gestern Nachmittag aus dem Gefängnis in den Kanzleihof hinaustrat, kam gerade der Büttel mit ein paar Stadtknechten daher. Der eine trug auf seiner Hellebarde einen Frauenschuh aus rotem Leder aufgespießt und viele Neugierige liefen mit und zeigten auf den Schuh und fragten. Auch ich fragte und der Büttel selbst, ein polternder, doch leidlich redlicher Knebelbart, gab mir Auskunft.

Sie hatten also die Doktorstöchter, die vor der Verhaftung geflohen waren, draußen in den Weinbergen aufgespürt und am Rande eines Steinbruchs so umstellt, dass sie nach menschlichem Ermessen nicht mehr entkommen konnten. Da hat »ein anderer« eingegriffen. Die Männer hörten einen Schrei und ein undeutbares Geräusch und fanden dann am Rand des Steinbruchs nur noch diesen Schuh, aber weit und breit keinen Menschen. Dafür sei aber ein durchdringender Gestank nach Pech und Schwefel zu spüren gewesen, womit wohl erwiesen sei, wer sich da eingemischt habe.

Nun, ich dachte mir mein Teil bei dieser Geschichte. In der Kanzlei erreichte ich, dass mir der Schuh ausgehändigt wurde, damit ich die Eltern fragen könne, ob er überhaupt einer der Töchter gehöre. Man gab meiner Vorhaltung Gehör, mir diese Frage zu überlassen um den verdienten und hoch geachteten Doktor zu schonen. Zuvor aber tat ich noch einen andern Gang, der mir ebenso notwendig schien.

163

Ich ließ mir vom Büttel den Weg beschreiben und wanderte hinaus zu dem Steinbruch, wo die seltsame Entrückung geschehen sein sollte. Dort stieg ich die enge Schlucht hinauf, in die der Steinbruch bergwärts ausläuft, und sah nach, ob eine der Gejagten vielleicht hineingestürzt sei und tot oder verletzt da unten läge. Denn das zu prüfen, so viel hatte ich erfragt, war von den Männern durchaus versäumt worden in ihrer blinden Teufelsangst. Ich fand aber keinerlei Spuren eines solchen Sturzes. Nur ein Baum war offenbar erst kürzlich in die Schlucht gefallen und hatte Laub und Strauchwerk mitgerissen, das welkend herumhing. Ich stieg an der andern Seite hinauf, den Weinbergen gegenüber. Dort grenzt der Wald mit dichtem Buschwerk an den Felsenabsturz. Ich fand die Stelle, wo der Baum gelegen hatte, ehe er herabgefallen war, fand zerknicktes Buschwerk, Fäden von bunten Geweben. Tiefer im Wald, wo der Boden weich und feucht war, hatten sich die Spuren zierlicher Füße abgedrückt, beschuhte und unbeschuhte. Ich wusste genug und freute mich, dass ich den Eltern gute Nachricht bringen konnte – eine Hoffnung wenigstens.

Es war spät geworden. Ich kam gerade noch rechtzeitig durch das Stadttor und erst bei Dunkelheit zum Hause des Doktors. Dort wurde mir die Freude die Eltern aus beklemmender Angst zu befreien. Doch musste ich dem Doktor Recht geben, dass die Gefahr noch nicht vorüber sei. Gleich in der Frühe des nächsten Morgens wollte er aufbrechen um dort im Walde jenseits des Steinbruchs und in den benachbarten Dörfern nach den Töchtern zu suchen und sie in Sicherheit zu bringen. »Ich geh' mit«, sagte die Frau. Aber das fand er zu gefährlich. Sie dürften nicht zusammen die Stadt verlassen. Doch auch sie müsse fort, in das Haus einer Muhme, eine Tagesreise entfernt, wo sie das Weitere abwarten solle. Er sagte das in so ungewohntem Ton, dass ich zum ersten Mal merkte, es musste die beiden noch etwas anderes verstören als nur die Sorge um die Töchter. Sie widersprach ihm auch nicht, noch wiederholte sie ihre Bitte.

Der Doktor bat mich dann noch eine Weile bei der Frau zu bleiben, weil er fort müsse, aber bald wiederzukommen hoffe. Ihr befahl er seinen Mantelsack mit dem Nötigsten zu packen, auch für sich selbst ein handliches Bündel, so schwer sie es tragen könne. Sie gehorchte mit einer scheuen Demut, die auch ungewohnt war an ihr. Als sie hinausgegangen war, sagte er leise zu mir: »Lasst sie nicht allein! Und wenn – Leute kommen sollten, hindert sie zu sprechen! Ihr Geist ist verwirrt vor Schrecken. Sie hält sich selbst für eine Hexe.«

Er ging und ich kniete tief bekümmert in der Studierstube zu einem Gebet nieder, nicht nur für die Rettung der kühnen und liebreizenden Töchter, sondern auch für den Seelenfrieden der Eltern, der mir nicht weniger gefährdet schien. In den oberen Stuben hörte ich die Frau hin und her huschen, Schränke und Truhen öffnen und schließen – bis ich mit einem Male nichts mehr hörte. Da erst fiel mir ein, dass ich sie nicht hatte allein lassen sollen. Vielleicht brauchte sie noch andere Hilfe als die des Gebets.

Ich stieg hinauf und fand sie in der Schlafstube über einen Mantelsack gebeugt, dessen Schnallen sie zu schließen versuchte. Sie kam damit nicht zurecht und ich sah, dass Tränen auf ihre Hände fielen. Ich griff zu und nahm ihr die Arbeit ab.

Dann wagte ich ein paar tröstende Worte darüber, dass Gott ihre Töchter schon weiterhin behüten werde, nachdem er sie auf so wunderbare Weise habe entkommen lassen. Sie erwiderte, das hoffe sie auch. Aber wie es auch ausgehe, ihren Mann habe sie für immer verloren. Der werde ihr niemals verzeihen.

»Was denn, meine Tochter?«

»Dass ich eine Hexe bin, vielmehr dass ich es glaube.«

Da hörte ich es aus ihrem eigenen Munde und es klang so wenig nach einem verwirrten Geist, dass ich im Innersten erschrak. Was bedeutete das nun wieder? Der Doktor hatte mich fast überzeugt, dass der Glaube an Hexen ein äußerst fragwürdiger Wahn sei. Und nun wollte sie – gerade sie! – eine von denen sein, die ein guter Christ nicht gern nennt.

Sie sah mein Erschrecken und versuchte ein Lachen, kläglich und rührend zugleich. »Nicht so, wie Ihr Euch eine denkt! Ich reite nicht auf Besen, hab' den Teufel nie gesehen und meine Gabe niemals zum Schaden irgendeines Menschen angewendet. Aber was hilft sie mir? Was hab' ich damit ausgerichtet, als dass ich Sebastian verloren habe!«

Ich tröstete sie damit, dass ihr Mann sich ihr schon wieder zuwenden werde, wenn sie wirklich nichts Böses getan habe. Aber sie schüttelte zweifelnd den Kopf. Ihre Schuld liege anderswo. Dann bat sie mich sie allein zu lassen, weil sie noch viel zu tun habe, sich auch umkleiden müsse für die Wanderung.

Bald darauf kam der Doktor zurück. Sein Schwiegersohn, der Ratsherr zum Stere, habe ihm Geld geliehen auf das Haus, das ihm gehören sollte, wenn binnen Jahresfrist weder Sebastian noch seine Frau zurückkehrten. Er gab Veronika einen Beutel. »Damit reichst du lange Zeit. Morgen vor Tag brichst du auf zu den Weinberghütten. Ich gebe dir einen Brief an den Pfarrer mit, der soll dem Pächter Bescheid sagen. Pater Friedrich ist wohl so gut dich durch das Pleicher Tor hinauszugeleiten.«

»Und du?«, fragte sie leise.

»Ich suche erst einmal nach den Mädchen und wenn ich sie gefunden habe, bringe ich sie zu dir. Dort in der Hütte seid ihr sicher.«

»Und du?«, fragte sie wieder.

»Ich gehe dann um endlich das zu tun, was ich seit Jahren versäumt habe: den Kampf gegen diesen verruchten Aberglauben aufzunehmen. Ich muss Bundesgenossen finden unter den Gelehrten, den Professoren an den Hochschulen. Noch hab' ich ja da und dort Freunde von früher. Es muss gelingen, denn schlimmer kann es kaum werden.«

»Nimm mich mit!«, bat sie leidenschaftlich.

Er schob ihre flehend erhobenen Hände beiseite und sagte gelassen, ohne Bitterkeit: »Du wärst wohl kaum eine Hilfe für mich. Dort auf dem Land bist du besser aufgehoben und die Kinder werden dich brauchen. Tu, was ich gesagt habe!« Sie ließ die Hände sinken und bat nicht weiter.

Im Morgengrauen traten wir drei aus dem Haus.

Der Doktor trennte sich alsbald von uns und schlug den Weg zu dem gleichen Tor ein, durch das seine Töchter vor kaum vierundzwanzig Stunden hinausgegangen waren. Erst als er sich abwandte, ahnte ich, bei einem letzten, flüchtigen Blick auf sein Gesicht, wie sehr auch er litt – was auch für ihn zerbrach mit diesem Abschied. Aber wer vermochte da zu trösten!

Noch blieb mir die schwere und doch so gern übernommene Pflicht die Frau auf ihrem Fluchtweg zu geleiten. Wir sprachen kaum ein Wort. Was gab es auch zu sagen? Ich wusste, dass ich sie nie wieder sehen würde, nie wieder sehen durfte. Auch wenn sie jemals in die Stadt zurückkehrte, würde ich anderswo sein. Und würde sie je zurückkehren? Mit dem Licht, das wir eben in dem verlassenen Haus gelöscht hatten, war der letzte Schimmer der Vernunft und Menschlichkeit in dieser verfluchten Stadt erloschen, so schien es mir.

Unter dem Stadttor nahmen wir Abschied, nur kurz um die Wache nicht aufmerksam zu machen. Ich trug ihr Grüße auf an eine Kranke, die sie vorgeblich im nächsten Dorf besuchen wollte, und fragte fürsorglich, ob ihr das Bündel voll milder Gaben auch nicht zu schwer sein werde. Sie erwiderte kein Wort, nur ihre Augen sprachen. Dann ging sie, blickte sich nicht mehr um und verschwand in den Frühnebeln über den Wiesen.

Ich aber wusste nun, was ich zu tun hatte, ging heim ins Ordenshaus und teilte dem Rektor meinen Entschluss mit. Ich gestand, dass ich die Flucht verdächtiger Personen aus der Stadt begünstigt hätte und dies wieder tun werde, so oft ich die Gelegenheit hätte. Denn von nun an stände ich ganz auf Seiten der Verfolgten. Das, meine ich, ist das Mindeste, was ich tun konnte um mich solcher Freunde würdig zu erweisen. Die Folgen muss ich tragen. Sie werden, so hart sie sein mögen, doch erträglicher sein als für irgendeinen Laien, der das Gleiche wagen würde.

Vergebt mir, mein Freund, und versteht Euren

Pater Friedrich

Aus der Chronik des Malefizschreibers:

Es hat das Unwesen also überhand genommen, trotz der harten Arbeit unseres Malefizgerichts, dass man vermeinen möchte, es verschlägt gar nichts, ob ihrer noch Hunderte und Aberhunderte der gebührenden Straf zugeführt werden. So mag das alte Weib wohl Recht behalten, das letztlich im peinlichen Verhör ausgesagt hat: »Der Bischof lässt nit nach, bis er die halbe Stadt verbrennt hab. Es sei in dieser Stadt ein solch Geziefer, dass sie sich verwundere, wie Gott so gütig und barmherzig sein könnte, dass er nit strafe, nachdem man's verdiene. Es seien die Vornehmsten als der Herr Domdechant selbst und andere Kapitularherren auch nichts nutz.« – Wenn das schon die Hexen selbst sagen!

Der vortrefflichste der Richter ist selbst der Macht des Teufels erlegen. Es hat sich der Fürstbischöfliche Rat Doktor Johannes Dürr die Prozesse, mit welchen er tragenden Amtes befasst gewesen, über die Maßen zu Gemüte gezogen und, nachdem sein Eheweib und seine Kinder bald nacheinander von dieser Welt abgefordert worden, sein Amt abgetreten, den Kapuzinerorden angenommen und seither ein exemplarisch Leben geführt. Dass bei allem Bereden dieser ungewöhnlichen Begebenheit der vorausgegangenen Richtung seiner eigenen

Mutter, der alten Dürrin, keine Erwähnung getan wurde, geschah gewiss zu Ehren dieses von allen geachteten Mannes, der eine solche Schande im eigenen Haus am wenigsten verdient hat. Inzwischen ist auch der Doktor Reutter, der gute und gelehrte Mann, spurlos aus der Stadt verschwunden samt seinem Eheweibe. Seine Töchter, die in üblen Verdacht geraten und mehrere Male besagt worden sind, haben sich dem drohenden Gericht durch die Flucht entzogen, wobei ihnen der Teufel sichtbarlich Beistand geleistet haben soll. Danach, am nächsten Morgen, sind auch die Eltern fort gewesen. Wie man sich doch in Leuten täuschen kann! Dem Doktor hätt' ich solche Hinterlist am letzten zugetraut. Seine Kranken trauern ihm sehr nach. Es sind aber seit meiner letzten Eintragung nur vier Brände geschehen und dabei gerichtet worden:

Im einundzwanzigsten Brand sechs
Peronen:
Der Spitalmeister im Dietricher Spital, ein
sehr gelehrter Mann,
Der Stoffel Holzmann,
Ein Knab von vierzehn Jahren,
Des Stolzenberger Ratsherrn Söhnlein,
Zween Alumnii.

Im zweiundzwanzigsten Brand sechs
Personen:
Der Stürmer, ein reicher Büttner,
Ein fremder Knab,
Des Stolzenberger Ratsherrn große Tochter,
Die Stolzenbergerin selbst,
Die Wäscherin im Neuen Bau,
Ein fremd Weib.

170

Im dreiundzwanzigsten Brand neun
Personen:
Des David Kroten Knab von zwölf Jahren,
in der andern Schul,
Des Fürsten Koch zwei Söhnlein, vierzehen und zehenjäh-
rig,
Der Melchior Hammelmann, Vicarius zu Hach,
Der Nicodemus Hirsch, Chorherr im Neuen Münster,
Ein Alumnus.
N.B. Der Vogt im Brambacher Hof und ein Alumnus
sind lebendig verbrannt worden.

Im vierundzwanzigsten Brand sechs
Personen:
Zwei Knaben im Spital,
Ein reicher Büttner,
Der Lorenz Stübner, Vicarius im Neuen Münster,
Die Rossleins Martien.

Der Fürstbischöfliche Rat Doktor Faltermeier, der
nach dem Ausscheiden seines Kollegen Dürr mehr
als vorher und weit mehr, als ihm lieb war, mit den
Prozessen befasst wurde, wusste Genaueres über
den zweiundzwanzigsten Brand, der am 6. Oktober
1628 stattgefunden hatte. An diesem Tage schrieb er
an einen Freund:

»Anheut sind allhier sechs Personen Hexerei halber justifi-
zieret worden, darunter eine Tochter der Kanzlerin von Eich-
stätt.«

»Ein fremd Weib –«, mehr hatte der Malefizschreiber nicht von ihr gewusst, und mehr war wohl nicht
übrig geblieben von der jungen Kanzlertochter, die

171

»auch ein schön Mensch« gewesen war. Ihre Mutter war in einem der ersten Brände gerichtet worden. Die Tochter hatte mehr als ein Jahr lang auf ihrer Unschuld beharrt.

Kinderspiele

1

Aus dem Brief eines Chorherrn vom Neuen Münster an einen Freund zu Paderborn in Westfalen:

Im Frühjahr 1629, ohne Datum

Das Hexenwesen betreffend, so Ihro Gnaden vor diesem vermeint zum End gebracht zu haben, stehet es wieder auf ein Neues also, dass es nit mag ausgesprochen werden. Ach des Elends und Jammers! Es sein noch vierhundert in der Stadt, Vornehme und mediocris fortunae homines utriusque status et sexus imo etiam religiosi so stark denunzieret, dass man sie alle Stund angreifen mag. Es ist gewiss, dass aus meines Gnädig Fürsten Leuten allhier aus allen Ämtern und facultatibus hingerichtet werden müssen: Ordensleut, gelehrte Fürstliche Rät vom Kammergericht und dero Doctores, servatores civitatis, assessores, quos plerosque V.R. novit, es sein candidati juris einzuziehen. Mein Herr hat über die vierzig Alumnos, so bald Pfarrherrn werden sollen, darunter dreizehn oder vierzehn Hexenmeister sein. Ein Diakonus ist vor wenig Tagen eingezogen worden, zween andere, so zitiert, sein ausgerissen. Notarius consistorii nostri ecclesiastici vir doctissimus ist gestern eingezogen und auf die Peinbank gestreckt worden. Ut unicumdicam, es gehet der dritte Teil der Stadt gewiss drauf. Die Reichsten, Schönsten, Vornehmsten seins allbereits gerichtet. So ist eine Jungfrau von neunzehn Jahren hingerichtet worden, von welcher männiglich sagt, dass sie die Schönste in der ganzen

Stadt gewesen ist, von jedermann als *unica filia modestissima et castissima* gehalten worden. Dieser werden die andern besten und schönsten Personen nachfolgen.

Es gehen solche Personen mit Trauerkleidern frisch und unverzagt zum Tode ohn alle Bekümmernis, in Summa, man spürt keine Furcht, die sie vor dem Feuer hätten. Es werden auch viele hingerichtet darum, dass sie Gott verleugnet und auf den Tänzen gewesen, haben aber sonst keinen Menschen beleidigt.

Zum Beschluss dieser jämmerlichen Materia, so sein Kinder von drei und vier Jahren, in dreihundert an der Zahl, die ihren Buhlen gehabt. Ich habe Kinder von sieben Jahren sehen hinrichten, wackere Studenten von zehen, zwölf, vierzehen und fünfzehen Jahren, von Adel. Ich habe gesehen einen vornehmen Domicellaren aus dem Hause Rotenhan enthaupten und mehrere andere. Die Tochter der verbrannten Kanzlerin, die mit einem Ratsherrn verheiratet gewesen, ist mit sechs anderen zum Tode gebracht worden. Es werden noch höhere Standespersonen, *quos nosti et misereris imo vix crederes,* daran müssen. Kann und mag von diesem Elend nichts mehr schreiben. *Fiat justitia et* . . . (Hier endet der Brief.)

Und es schrieb ein Pfarrer zu Sankt Marien, dem es grauste vor dem Weg, den seine jungen Firmlinge nahmen:

Es haben etliche Kinder von ungefähr sieben, acht, neun und zehen Jahren, Knaben und Mägdlein, ausgesagt vor Eltern, Bekannten und Freunden, letztlich auch vor geistlichen und weltlichen Amtspersonen, und bekennen's noch beständig, dass sie von gewissen Personen, deren etliche bereits von hoher Obrigkeit eingezogen und peinlich befragt worden, in der Nacht zu unterschiedlichen Stunden abgeholt und in die Ver-

sammlung der Hexen geführet worden, an unterschiedliche Orte des Feldes, der Gassen oder gemeinen Plätze. Die Kinder wissen nicht, wie ihnen geschieht, und vermeinen nicht anders, als ob sie wirklich und leiblich an solche Örter hinaus kämen und zwar auf einer Gabel, auf Böcken, Geißen, Hühnern, Katzen und so weiter. Man hat aber durch fleißiges Bewachen und Hüten der Kinder in vielen Nächten wahrgenommen, dass wahrhaftig ihr Leib nirgend hinweg geführet wird, sondern im Bett oder auch in Schoß und Armen der Eltern liegen bleibt in einem Schlaf, der bei einigen ganz natürlich scheint, bei andern einer harten Erstarrung ähnlich ist, mit erkalteten Gliedern. Sie müssen die Hochheilige Dreifaltigkeit verleugnen und versprechen, forthin den Eltern nicht mehr gehorsam zu sein, nicht zu beten, lästern hingegen Gott und Christtum mit solchen Worten, die ich zu gedenken scheue, viel weniger schreiben mag. Diese und andere Umstände geben nun die Kinder zum Öfteren vor, nachdem das erste Bekenntnis solcher heimlicher Eingebungen kaum mit langer und übergroßer Mühe der Eltern und Vorgesetzten hat können zu Wege gebracht werden. Die armen Kinder selbst sind voller Angst und Schrecken, besonders in der nächtlichen Finsternis und Einsamkeit, beten und flehen, man möge für sie beten.

2

Mit den Kindern wurde es immer schlimmer. Sie waren, seitdem das Hexenwesen von Tag zu Tag tiefer in Häuser und Gemüter eindrang, immer weniger zu bändigen gewesen.

Mit den Schulkindern, Buben und Mädchen zwischen sieben und zwölf Jahren, hatte es angefangen. Sie schienen alt genug um von den Lehrern über das schreckliche Laster der gegenwärtigen Zeit aufgeklärt zu werden. Zwar wäre das kaum nötig gewesen. Denn was hörten sie daheim anderes, womit sonst schreckte man sie zur Strafe als mit dem Teufel, der sie holen werde, wie er die Muhme Soundso und den Nachbarn, ja, oft genug schon die eigene Mutter geholt hatte! Wenn sie die Kinder außer Hörweite glaubten, erzählten sich die Großen flüsternd von den grauenhaften Untaten der Verurteilten, vom Töten kleiner Kinder, die man fraß oder zu Salben verkochte, von der Ausfahrt durch den Schornstein auf Stecken, Mistgabeln und Besen, von Teufelspakt und Teufelsbuhlschaft. Der Schaden, den sie angerichtet haben sollten, war schnell vergessen. Das Drum und Dran des Hexenwahns beschäftigte die Leute viel mehr. Sie konnten gar nicht genug davon hören – solange es sie selbst nichts anging. Aber sie irrten sehr, wenn sie meinten, die Kinder wüssten nichts davon. Die hatten scharfe Ohren wie immer, wenn etwas vor ihnen durchaus geheim bleiben soll.

Alles aber, was sie heimlich erlauscht oder sich zusammengereimt hatten, erfuhr nun eine grauenvolle Bestätigung durch den Mund des Lehrers. Da wurde ihnen alles genau beschrieben, das Verbrechen wie die Sühne, und warnend Moral gepredigt. Wer dann noch nicht belehrt war, der konnte einmal oder zweimal im Monat hinaus vor das Sander-Tor laufen und sich angucken, was für ein Ende es mit solchen nahm, die sich dem Teufel verschrieben. Im Anfang zogen die Kinder fast jedes Mal mit hinaus. Niemand hinderte sie, im Gegenteil, es galt als gesunde Abschreckung vom Bösen eine Hinrichtung mitanzusehen. So geschah es, dass der Teufel, so überflüssig oft berufen und so leibhaft gegenwärtig in dieser Stadt, sich die leichteste Beute krallte: die Kinder.

Da prahlte ein neunjähriger Lateinschüler vor den andern, er könne »Mäus' machen«, das hätte er von seinem Vater gelernt. Die Kameraden staunten und für einen Tag war der kleine Prahler der große Mann, aber nur so lange, bis der Lehrer von der Sache erfuhr. Da wurde vor dem Rektor ein strenges Verhör angestellt, insbesondere über den Vater, dem so übernatürliche Fähigkeiten zugeschrieben worden waren. Da half kein Ableugnen mehr, die Sache musste vor den Richter. Peinlich befragt gestanden Vater und Sohn alles, was ihnen vorgesagt wurde. Der Bub starb im sechzehnten Brand, der Vater ein halbes Jahr später im einundzwanzigsten.

Der zehnjährige Valentin Winter schrie einem älteren Buben nach, der ihn verprügelt hatte: »Ich mach' dich blind!« Es traf sich, dass dem anderen bald darauf eine Mücke ins Auge flog, die zwar Schmerzen verursachte, jedoch mit Hilfe des Apothekers schnell entfernt wurde und hätte vergessen werden können. Aber das böse Wort hatte der Valentin nun einmal gesagt. Die Eltern des so Bedrohten ruhten nicht. Der Valentin Winter kam vor Gericht und da ging es, wie es gehen musste. Nicht nur er selbst, auch seine Eltern und seine großen Schwestern gestanden auf der Folter die scheußlichsten Zaubereien und starben allesamt den Hexentod. Der Valentin bekannte sich übrigens des Mordes an über hundert Personen schuldig, auf deren Namen er sich aber durchaus nicht besinnen konnte.

Die beiden kleinen Töchter einer armen Witwe kamen eines Abends laut weinend in die Stube gestürzt. In einem Torweg hatte ein schwarzer Mann ihnen aufgelauert, noch schwärzer als die Dunkelheit, mit glühenden Augen und einer roten Feder am Hut. Mit Mühe waren sie ihm entkommen. Die arme Mutter wusste sogleich, wer das allein sein konnte. Sie tat, was nur möglich war, hängte den Kindern wundertätige Amulette um, stiftete Kerzen und betete für sie. Aber es half nichts. Den schwarzen Mann wurden sie nicht mehr los. Er erschien nicht nur in ihren Träumen, sondern leibhaftig überall, wohin sie gingen, zuletzt sogar daheim in der Küche, wo er sie dazu verlockte, auf der Katze, die plötzlich so groß wie ein Kalb war, zum Schornstein hinauszureiten zu einer wilden, herrlichen Reise unter dem Sternenhimmel dahin. Mehr wussten sie nicht von dieser höllischen Ausfahrt zu berichten, aber es war genug. Als die Mutter in ihrer Not endlich den Pfarrer zu Hilfe rief, war über alle drei schon das Urteil gesprochen. Die Teufelsbeschwörungen des frommen Mannes nützten nichts. Da blieb ihm nichts anderes übrig, als den Fall den Behörden zu melden. Die Kinder wurden verhört und wiederholten willig alles, was sie schon vorher offen genug erzählt hatten. Als aber der Richter sie noch einmal väterlich ermahnte hübsch die Wahrheit zu sagen, fragte die Kleinere zwischen Neugier und Furcht: »*Gelt, danach werden wir verbrennt?*«

Sie wurden es im dreizehnten Brand und bald nach ihnen auch die Mutter. Sie hatte sich halb von Sinnen aller Verfehlungen schuldig bekannt, für die man ihre Kinder gerichtet hatte. Wie hätte man ihr nicht glauben sollen! War es doch bekannt, dass sich die Hexenkunst vor allem von den Müttern auf die Töchter vererbte, ja, schon im zartesten Alter ihnen beigebracht wurde. Die Mutter war die wahrhaft Schuldige, befand das Gericht.

Zum Pfarrer von Sankt Gertrauden schlich sich ein neunjähriges Mägdlein und klagte, *es tät so arg frieren, werde auch von seinen Eltern immer geschlagen, hab gar keine Freud. Wollte Gott, man verbrennte es!* Der Pfarrer, tief bestürzt, fragte das Kind, ob es denn, so klein und unschuldig, schon eine Hex' sei? Ja, das sei es leider, erwiderte es ernsthaft. *Die Eltern hätten es dazu gezwungen. Nun sei es schon viele Male zum Tanz mit ausgefahren und hätt' auch einen gar hübschen Buhlen.* Dem Pfarrer grauste es, solches aus diesem kindlichen Mund zu hören. Er schickte das Mädchen heim und erkundigte sich nach den Eltern. Da hörte er nicht viel Gutes. Sie waren übel beleumdet. Prügeln und Fluchen gehörte bei ihnen zum täglichen Umgang. Das jüngste Kind, das neunjährige Babelein, sei das Schlimmste. Zwar sei es eher still und schüchtern, aber man brauche nur seine Augen zu sehen um Bescheid zu wissen. Alles höchst verdächtig! Der Pfarrer kannte seine Pflicht.

Als die Stadtknechte es holten, hörte man das Babelein lachen und sah zum ersten Mal einen Freudenschimmer auf dem spitzen Gesichtlein. Gern ging es mit, gestand auch willig und übereifrig, was es gefragt wurde, und gab ungefragt eine Menge Mitschuldige an, voran seine Eltern, danach fast alle, die es kannte und denen es genauso übel wollte wie sie ihm.

Als es endlich den ersehnten Hexentod starb, konnte es mit sich zufrieden sein. Acht andere hatte es mitgezogen, darunter die Eltern, die bis zuletzt ihr schlimmes Kind verfluchten und nicht begriffen, woher ihm solche Bosheit kam.

Eine Siebenjährige bekannte, sie habe nicht nur mit dem Teufel gebuhlt, sondern sogar ein Kind geboren, das Hörner und Klauen gehabt und sogleich in den Wald entlaufen wäre. Größere Buben wollten sich mit Hilfe einer schwarzen Salbe in Wölfe verwandelt und viele Lämmer und Kälber gerissen haben, obgleich von einer größeren Wolfsplage in der Umgebung seit langem nichts bekannt war. Alle aber, groß und klein, Buben wie Mädchen, waren in jeder Samstagsnacht auf Besen und Gabeln, Katzen und Böcken zum Schornstein ausgefahren zum höllischen Sabbat, während die Eltern vermeinten ihre Leiber friedlich in ihren Betten schlafen zu sehen. So liefen die Kinder in panischer Angst vor dem Teufel dem Tod in die offenen Arme oder auch besessen von einem Zwang mitzutun bei dem grässlichen Spiel, obgleich die meisten von ihnen wussten, was am Ende stand. Ja, sie überteufelten noch das Beispiel der Großen. Wenn sie es darauf angelegt hätten, durch übertriebene Selbstanklagen den Wahnsinn der Prozesse darzutun, sie hätten es nicht listiger anfangen können. Aber es war ihnen blutiger Ernst. Von all den Hunderten von Gerichteten waren die meisten von ihnen wohl die Einzigen, die sich selbst für schuldig hielten.

Den Richtern aber lieferte das alles nur die willkommene Bestätigung auch des haarsträubendsten

Widersinns. Sie wunderten sich über nichts und glaubten alles, auch die hundert Gemordeten des kleinen Valentin. Höchstens wuchs noch ihr ehrfürchtiges Grausen über die Macht des Teufels in so schwachen Geschöpfen. Sie nahmen Protokolle auf, sprachen das Urteil und brachen den Stab über Kinder unter zehn Jahren, in den ersten zwanzig Monaten der Prozesse allein fünfundzwanzig an der Zahl. Was galt das Zeugnis der Eltern! Sie waren eben teuflischem Blendwerk verfallen und konnten froh sein, wenn sie nicht selbst zur Verantwortung gezogen wurden.

Noch fünfzig Jahre zuvor hatten die Experten der Hexenverfolgung in ihren Büchern gelehrt, dass zwar auch Kinder dem teuflischen Laster verfallen könnten, doch sei empfohlen unter vierzehn Jahren die Folter nicht anzuwenden und keines unter sechzehn hinzurichten, vielmehr Besserung durch christliche Belehrung anzustreben. Aber selbst dies Mindestmaß an Menschlichkeit schien hier zu viel. Die ganze Stadt, das Land, wenn nicht die Christenheit überhaupt war in Gefahr vom Teufel überwältigt zu werden. Da durfte man nicht zögern mit Härte durchzugreifen – ohne Ansehen der Person.

3

Im Stift zum Neuen Münster lebte ein uralter Chorherr, gebrechlich, halb erblindet, aber noch klaren, rührigen Geistes. Mit dem ging es bergab, seit ihn der

Doktor Reutter nicht mehr besuchte, und nicht nur, weil der gute Arzt ihm fehlte. Mehr noch entbehrte er die Gespräche mit dem klugen und aufrechten Mann. Sie hatten ihn an seine Jugend erinnert, als er selbst den Wissenschaften zugeneigt gewesen- war und von neuen Einsichten in die Naturgesetze das Heil der Welt erwartet hatte. Mit diesen Ausflügen des Geistes in eine freiere Luft war es nun vorbei, nachdem der Doktor so plötzlich und geheimnisvoll aus der Stadt verschwunden war. Der Uralte verschloss sich eigensinnig gegen seine Umgebung, verließ nicht mehr das Haus, oft nicht einmal das Bett und verfiel sichtbar den Winter über. Aber in der Frühe eines noch kalten Frühlingsmorgens wurde er gleichsam wieder wach.

Er hörte unter seinen Fenstern einen Karren vorbeipoltern, begleitet von den Schritten vieler Männer. Diese Geräusche kannte er und wusste nur zu gut, was sie bedeuteten. Denn gerade durch diese Gasse führte der althergebrachte Weg zur Richtstatt. Diesmal aber war noch ein anderer Laut dabei, ein ungewohnter, der ihn beunruhigte. »Warum weinen da Kinder?«, fragte er seinen Diener. »Was tun die dabei?« Der Diener schaute aus dem Fenster und berichtete, es seien drei Kinder mit auf dem Karren, ob Buben oder Mädchen, das sei nicht zu erkennen, aber sicher noch keine zehn Jahre alt. Die weinten laut und riefen nach ihren Eltern.

»Kinder?«, fragte der Uralte aufhorchend. »Kinder?« Er setzte sich auf, verlangte angekleidet zu werden und ließ seine beiden nächsten Freunde zu einem Gespräch zu sich bitten. Das waren ein etwas jüngerer Chorherr, sein nächster Nachbar, und ein Vikar vom Neuen Münster. Außerdem war sein Vorleser und Schreiber, ein junger Priesterschüler, mit dabei. Den Diener hieß er außen an der Tür zu wachen, damit sie nicht gestört würden.

»Freunde, es muss etwas geschehen«, sagte der Uralte und berichtete sein Erlebnis. Die beiden andern zuckten die Achseln. Was sollte denn geschehen und warum jetzt auf einmal, nachdem man fast zwei Jahre dem wachsenden Unheil zugesehen hatte? Warum vorwitzig die Gefahr herausfordern?

»Begreift ihr denn nicht?«, ereiferte sich der Uralte, »was das bedeutet, dass sie jetzt sogar Kinder verbrennen? Braucht es noch einen klareren Beweis für den Widersinn, das schreiende Unrecht dieser Prozesse?«

»Pst!«, machten die Freunde erschrocken und der jüngere Chorherr erinnerte daran, dass die Kinder doch selbst die grauenvollsten Verbrechen eingestanden hätten, zumeist freiwillig, wie man höre. Aber der Vikar, der mehr unter die Leute kam, wusste, dass es durchaus nicht immer so sei. Er hatte von einem zehnjährigen Buben gehört, der noch nach sechsundvierzig Rutenstreichen nichts hatte bekennen wollen, und von einem vierzehnjährigen Margretlein, das ein und eine halbe Stunde lang die Beinschrauben ertragen und noch auf seiner Unschuld beharrt hatte. »Was diese freiwilligen Geständnisse angeht«, sagte der Uralte schwer, »so glaub' ich eher, dass sie von der Angst erpresst sind, nicht allein vor Schmerzen und Tod, sondern von einer viel größeren vor dieser Welt, die wir Großen zur Hölle gemacht haben. Wie sollen sie nicht daran verzweifeln, in solcher Finsternis weiterzuleben!«

Nun gut, meinten die Freunde, das möge so sein. »Aber was geht das uns an? Es ist nicht unsere Sache, Seine Fürstlichen Gnaden zu belehren. Gefährlicher als je ist es jetzt und hier, sich in fremde Befugnisse zu mischen.«

Der Uralte schüttelte zornig den Zeigefinger. »Wenn es Euch, meine Freunde, einerlei ist, ob vor Euren Augen Unschuldige leiden und sterben, sollt Ihr Euch sagen, wie kurzsichtig solche Feigheit ist. Mit jedem Todesurteil kommt die Gefahr uns allen näher. Wer ist noch sicher, wenn es nicht einmal mehr die Kinder sind im Arm ihrer Mütter?«

Der jüngere Chorherr gab zu, er habe auch schon Ähnliches gedacht. Aber was konnte man tun? Was konnte irgendein Mensch tun das Morden aufzuhalten? Eingaben vornehmer Personen, deren Verwandte betroffen waren, auch die Vorstellungen des geflohenen Doktor Burkhardt beim Reichskammergericht hatten wohl Mandati inhibitorii erwirkt, aber nicht den geringsten Wandel, ja, nicht einmal ein Stocken im Verlauf der hiesigen Prozesse. Die Gerechtigkeit von Kaiser und Reich habe nun einmal keinen bewehrten Arm in diesem Lande, damit müsse man sich abfinden.

Ein bewehrter Arm sei vielleicht noch zu finden, ließ sich der Vikar vernehmen. Er habe da kürzlich von einer seltsamen Wette gehört, die, wäre sie ausgetragen worden, den Prozessen wohl eine ganz neue Wendung hätte geben können. Neugierig befragt wand er sich ein wenig und wollte erst nicht weiterreden. Man wisse nie, wen man mit solchem Weitererzählen vielleicht ins Unglück reiße. Endlich aber gab er nach. Da seien also einige vom Adel, große Herren im Land, beim Trunk übereingekommen dem Bischof eine Wette anzubieten, die ihm seine Verblendung dartun sollte. Sie wollten sich den tüchtigen Meister Conz mitsamt seinem Instrumentarium für ein paar Tage ausborgen und dann einen der namhaftesten Hexenrichter, am besten den Herrn Kanzler selbst, nach allen Regeln der Kunst ins Hexenverhör nehmen. Wenn der dann nicht binnen drei Tagen ebenso viele teuflische Verbrechen eingestanden hätte, wie er selbst je einem alten Weibe abgepresst, so wollten die betreffenden Herren selbst den Hexentod erleiden.

»Ha!«, rief der Uralte begeistert aus. »Das ist eine Sache von Mark und Blut, ganz wie in alten Zeiten! Sagt uns noch, wie sie ausgegangen ist!«

»Eben – gar nicht!«, erwiderte der Vikar. »Keiner weiß es. Eines Abends beim Trunk sind die Herren so hohen Mutes gewesen, haben auch das Schreiben an Seine Fürstlichen Gnaden schon aufgesetzt gehabt und den Boten bestimmt, der es überbringen sollte. Am nächsten Morgen aber ist ihnen der eigene Mut wohl nicht mehr geheuer gewesen. Mit Bischof und Kanzler anzubinden ist eine Sache und eine andere die höllischen Mächte herauszufordern. So ist kein Brief geschrieben und kein Bote abgeschickt worden und alles ist geblieben, wie es war.«

Der Uralte nickte spöttisch, als habe er sich so etwas schon gedacht. »Was ist ein bewaffneter Arm schon wert ohne Mut und Verstand! Nein, von tollen

Plänen solcher Art kommt keine Rettung, auch nicht vom Hoffen auf höhere Instanzen. Da hilft nur eins, die Erleuchtung durch klare, menschliche Vernunft. Sollte der Neffe des großen Julius dafür so ganz unzugänglich sein?«

»Ihr wollt mit ihm reden?«, fragte der jüngere Chorherr bestürzt. Das hatte der Uralte vor und glaubte nicht einmal, dass es besonders schwierig oder gar gefährlich sein werde. »Von mir wird er sich das anhören. Ich hab' ihn ja schon als kleinen Studenten gekannt und weiß noch wohl, wie er einmal mit dem Oheim mein Laboratorium besucht hat.«

»Euer was . . .?« Die Freunde entsetzten sich immer mehr. »Ihr seid . . . Ihr habt . . .?«

»Ja, ich hab' einmal einen Namen gehabt in der Wissenschaft der Alchimie, hab' sogar mit der kaiserlichen Majestät zu Prag korrespondiert. Auch Bischof Julius hat in seinen besten Jahren gern meinen Versuchen beigewohnt. Später, im Alter, als er das leidige Hexenbrennen anfing, hat er mir freilich selbst geraten meine chymische Kuchel einstweilen zu verschließen, damit ich nicht in bösen Verdacht käme. Das hab' ich mir nicht zweimal sagen lassen. Nicht nur verschlossen hab' ich sie, sondern zumauern lassen und nie wieder betreten.«

»Aber wo habt Ihr sie denn versteckt?«, fragte der jüngere Chorherr. »Nie hätte ich so etwas in diesem Hause vermutet.« Alle blickten scheu an den hohen, vom Alter geschwärzten Wänden empor.

»Ja, das möchtet Ihr wohl wissen!« Der Alte winkte dem Vorleser, der ganz verstört auf seinem Schemel hockte, und hieß ihn einen Krug Wein aus dem Keller zu holen. Der junge Mann schrak auf und gehorchte mit übertriebener Eile. Als er aber die Tür hinter sich geschlossen hatte und den Diener schläfrig am Fuß der Treppe Wache halten sah, trat er leise zurück und legte sein Ohr an das rissige Holz, nur ein paar Augenblicke lang. Dann ging er, zündete in der Küche eine Kerze an und stieg in den Keller hinunter. Nachdem er den Krug gefüllt hatte, trat er zwischen zweien der großen Fässer an die Rückwand des niederen Gewölbes und leuchtete mit der Kerze an ihr hinauf. Sie sah anders aus als das übrige uralte Gemäuer, war glatt und gerade und klang hohl, wenn man daran klopfte. Der Junge schauderte, nahm den Krug auf und beeilte sich wieder hinaufzukommen. Die Zinnbecher klirrten, als er sie vom Bord nahm, seine Hand zitterte beim Einschenken. Aber keinem der drei fiel es auf.

Der Uralte hatte die beiden andern inzwischen so weit gebracht, dass sie ihm nicht mehr widersprachen und sich sogar heimlich schämten, weil er sie an Mut übertraf. »Ob ich etwas ausrichte, weiß ich nicht. Aber gewagt muss es werden. Die Kinder sollen einen Fürsprech finden. Und was wag' ich schon! Was könnte man mir vorwerfen! – Schreiber, bist du da?«, rief er. »Hol deine Tafel, ich will dir einen Brief diktieren an Seine Fürstlichen Gnaden persönlich und du sollst ihn morgen früh auf die Burg bringen!«

Der Junge erschrak über die plötzliche Anrede so sehr, dass er den Wein verschüttete. Der Vikar, der den Guss auf seinen Rock bekommen hatte, brummte ärgerlich: »Was ist denn mit dir, guter Freund?«, und wunderte sich über den unmäßigen

Schrecken des Jungen wegen eines so kleinen Versehens. An einem so ungeschickten Burschen hatte der alte Chorherr wohl kaum eine nützliche Hilfe. Aber war es nur Ungeschick? Einen Augenblick zweifelte der Vikar daran, doch vergaß er den flüchtigen Verdacht gleich wieder.

Der Brief wurde geschrieben und gleich am nächsten Morgen durch den Jungen auf die Burg gebracht. Dennoch blieb es ungewiss, ob Seine Fürstlichen Gnaden ihn jemals erhalten hatten. Denn eine Antwort kam nicht.

Dafür begann es unter den Leuten zu munkeln von einer Zauberküche im Neumünsterstift. Das Gift der Pestepidemien und anderer Seuchen, auch Viehsterben und Hagelschlag seien dort zusammengebraut worden. Wie meistens erfuhren diejenigen, die es anging, nichts von solchen Gerüchten. Dann, eines dunklen Frühlingsabends, kam der Vikar totenbleich ins Stift gelaufen. In der Gasse hatte ihn ein Mann angesprochen und ihm mit wenigen geflüsterten Worten aufgetragen den Uralten und seine Freunde zu warnen, des vermauerten Laboratoriums wegen, von dem jetzt auch das Malefizgericht wisse.

Wer war der Warner? Der Vikar hatte ihn nicht erkannt in der Dunkelheit. Auch hatte der Fremde den Hut tief in der Stirn und den Mantel halb vor das Gesicht geschlagen gehabt. Seine Sprache war die eines gebildeten Mannes gewesen mit dem Anklang einer fremden Mundart. Vielleicht war er einer vom Gericht, vielleicht ein Geistlicher gewesen. Der Vikar dachte an den fremden Pater, den Hexenbeichtiger, von dem man sich in letzter Zeit seltsame Dinge erzählte. Aber einerlei, es war nicht Zeit, darüber nachzudenken. Schreckensbleich stürzte er in die Stube des jüngeren Chorherrn und störte ihn beim Spiel auf dem Clavicord, das er mehr liebte als alle andern Musikinstrumente und meisterhaft spielte. Er fuhr herum, durchaus missvergnügt über die Störung. Dann aber begriff er schnell und fluchte kräftig über den Schwätzer, der ihnen das eingebrockt habe. Denn wer das allein sein konnte, darüber waren sich die beiden sofort einig. Der Vikar erinnerte sich an seinen ersten, flüchtigen Verdacht an jenem Abend und wünschte, er wäre ihm gleich nachgegangen. Aber was wäre da noch zu retten gewesen? Und was half es, wenn sie jetzt noch den Jungen windelweich geprügelt hätten? Es war für alles zu spät.

Es zeigte sich, dass den jüngeren Chorherrn die Gefahr nicht unvorbereitet traf. Er hatte sich schon vorsorglich Gedanken gemacht, wie und wohin er sich im Notfall retten konnte. Er besaß ein Gütchen, gerade jenseits der Grenze, nur ein paar Stunden Weges von der Stadt, keinen bequemen Wohnsitz, nur ein Bauernhaus, in dem der Pächter ihnen ein paar Kammern einräumen mochte. Aber sie konnten dort unterschlüpfen, bis das Unwetter des Wahnsinns über der Stadt sich verzogen hatte. Schnell war der Fluchtplan fertig. Der Vikar sollte dem Uralten Bescheid sagen, dann aber noch an diesem Abend in der Vorstadt ein Fuhrwerk besorgen, das sie im Morgengrauen vor dem Tor erwarten sollte. »Wir beide könnten den Weg leicht zu Fuß machen. Aber wir dürfen den Alten doch nicht im Stich lassen.«

Der Vikar fand den Uralten im Dunkeln sitzen,

missgelaunt, weil sein Schreiber heute einen längeren Urlaub erbeten hatte um seine Eltern in ihrem oberfränkischen Dorf zu besuchen, wohin sich ihm eine Reisegelegenheit bot. »Ich bin ohne Augen wie ohne Hand und Fuß. Es ist ungezogen, einen alten Mann so hilflos sitzen zu lassen. Hätte er nicht für Ersatz sorgen können?«

Der Vikar hatte nun keinen Zweifel mehr, welche Rolle der ungeschickte und verschüchterte Schreiber in diesem Hause gespielt hatte, mochte er nun aus abergläubischer Angst oder aus berechneter Absicht zum Verräter geworden sein. Er unterrichtete den Uralten davon und von der drohenden Gefahr. Begriff der ihn? Er saß ganz still und schüttelte den Kopf wie in nicht endender Verwunderung. Als aber der Vikar von dem Fluchtplan sprach, wehrte er ab. Er wollte bleiben. Sein Leben sei doch fast zu Ende und keinem von Nutzen. Er sei zu müde weiter zu kämpfen. Sie sollten seinetwegen nicht ihre eigene Flucht gefährden.

Der Vikar rief den jüngeren Chorherrn zu Hilfe. Sie widersprachen und versuchten den Uralten zu überreden, aber nicht allzu heftig. Vielleicht durfte so hohes Alter doch auf Nachsicht rechnen und der Greis wagte weniger als die beiden anderen. Er bestärkte sie in dieser Meinung und riet ihnen noch am gleichen Abend fortzugehen. Morgen früh könnte es am Ende zu spät sein. So nahmen sie eilig und ohne Rührung Abschied. »Vielleicht ist alles nur blinder Lärm«, meinte der jüngere Chorherr, »und wir sehen uns in wenigen Tagen wieder.« Der Uralte bat sie nur noch ihm seinen Diener zu schicken, damit er ihm das Abendbrot bringe und ihm ins Bett helfe. »Ich verstehe gar nicht, wo er bleibt.«

Die beiden andern sollten das bald genug erfahren. Sie fanden Küche und Gesindekammern dunkel und leer, den Herd kalt, keine Zurüstungen zu einer Mahlzeit. Sie blickten einander an. »Ich glaube, es wird höchste Zeit«, murmelte der Chorherr mit zitternden Lippen. Der Vikar meinte, sie müssten dem Uralten Bescheid sagen, dass er allein und ohne Hilfe sei. »Tut das, lieber Freund, tut das!«, stimmte der Chorherr zu und eilte in seine Wohnung um noch ein paar Wertsachen, vor allem bares Geld, zusammenzuraffen und mitzunehmen, ach, und vielleicht einige von seinen Kompositionen. Denn was zurückblieb, würde verloren sein. Mit einem Male hatte er es eilig.

Der Vikar stieg noch einmal hinauf zum Uralten. Der saß da, wie sie ihn verlassen hatten, die Hände auf dem Tisch gefaltet, die trüben Augen auf das Flämmchen der Lampe gerichtet, die sie vor ihm angezündet hatten. Der Vikar sagte ihm, dass die ganze Dienerschaft davongerannt sei, anscheinend im Einverständnis mit dem verräterischen Schreiber. So seien die Häscher wohl schon unterwegs, erwiderte der Uralte und mahnte die Freunde noch einmal zur Eile. Der Vikar zögerte. Ob er noch etwas für den Alten tun dürfe, das Feuer anzünden oder ihm etwas zu essen holen?

»Macht, dass Ihr fortkommt!«, war die Antwort.

»Dann lebt wohl!«, sagte der Vikar, blieb noch einen Augenblick stehen und ging dann wirklich.

Der Uralte war allein. Er blickte unverwandt in die Lampenflamme, die er gerade noch wahrnehmen konnte, bewegte die Lippen und murmelte vor sich hin. Er hörte Türenschlagen, eilige Schritte im Hof, zuletzt das eiserne Gittertor zufallen. Dann kam jemand die Treppe herauf. Waren sie es schon? Nein, es war nur ein einzelner Schritt und er kannte ihn.

Die Tür ging auf und die Stimme des Vikars sagte: »Ich bringe Euch Wein und ein wenig Brot, ich fand nicht gleich alles.« Er setzte Krug und Teller auf den Tisch, nahm einen Becher vom Wandbord, goß ein und schob alles vor den Alten hin, der es verwundert geschehen ließ. »Seit Ihr denn noch immer da?«, fragte er vorwurfsvoll.

»Nur ich«, erwiderte der Vikar. »Der Chorherr ist schon fort. Aber ich denke, morgen vor Tag ist es immer noch früh genug.«

Der Uralte lächelte. »Holt Euch auch einen Becher!«, brummte er. Aber der Vikar wollte erst noch das Feuer im Ofen anzünden, denn der Abend war kühl und die Luft frostig in dem alten Hause.

»Ja«, stimmte der Uralte zu, »zündet es an! Noch tut es uns wohl, nicht weh.«

Den Vikar schauderte es, während er Reisig und Scheite auflegte und den Funken auf den Zunder springen ließ.

Danach hielten sie, nahe der Ofenwärme, ein langes, geruhsames Mal, bei dem wenig gegessen, noch weniger gesprochen, aber viel getrunken wurde. Der Vikar dachte: Ich kann ihn doch nicht so ohne Hilfe allein lassen in dem leeren Haus, dazu den Tod vor Augen. Morgen früh kann ich ihm noch jemanden schicken, der für ihn sorgt – wenn ich jemanden finde, wo ihm seine Leute schon weggelaufen sind.

Aber die Nacht über bleib' ich bei ihm, wenigstens so lange, bis er zu Bett geht. Dazu machte der Uralte keinerlei Anstalten. In später Stunde lebte er auf. »Ich frag' mich immer«, begann er, »wie groß unsere eigene Schuld ist an den Dingen, die uns jetzt zu verschlingen drohen.«

»Aber ehrwürdiger Herr! Was habt Ihr je mit Malefizsachen zu tun gehabt, oder Euer Freund oder ich?«

»Eben! Wir haben uns zu wenig darum gekümmert und haben es doch keimen und wachsen sehen durch lange Jahre, wenigstens ich. Bischof Julius hat damit angefangen und um seines hohen Ansehens willen hat man's von ihm hingenommen. Er werde schon das Rechte tun, glaubte jeder.«

»Aber ist's denn nicht das Rechte? Muss man sie nicht ausrotten, die Teufelsbuhlen und Gottesleugner?«

»Das muss man, wer wollte das abstreiten? Aber noch nie hat ein Mensch danach gefragt, ob sie nicht anders bekämpft werden könnten, weniger grausam, aus dem Geist wahren Christentums.«

»Das haben doch kaum wir zu verantworten. Die höchsten Autoritäten unserer heiligen Kirche . . .«

»Seid Ihr sicher, dass wir damit davonkommen! Ich zum Beispiel hab' mich immer gerühmt ein Mann der Wissenschaft zu sein, ein Forscher der Naturgeheimnisse. Und wie schnell war ich bereit alles Forschen aufzugeben, meine Kuchel zu schließen, nur um des Verdachtes willen. Hab's nicht gewagt sie je wieder aufzumachen. Das ist's. Hätt' ich nicht im Gegenteil all meine Kenntnisse aufbieten müssen das Dunkel zu vertreiben, eh' es so überhand genommen hat?«

»Das Dunkel, sagt Ihr? So meint Ihr, dass diese Prozesse Unrecht sind?«

»Denkt an die Kinder auf dem Karren! Dann begreift Ihr, dass – zumindest ein Maß überschritten wurde. Was hätten wir sonst zu fürchten, die wir doch wissen, dass wir schuldlos sind?«

Der Vikar legte den Kopf in die Hände. Immer noch hatte er einen Rest von Zuversicht gehegt, es könnte doch vielleicht nach Recht und Gesetz zugehen und er freigesprochen werden. Dieser Rest verging vor der harten Einsicht: Auch andere sind schuldlos gestorben.

»Schuldlos an diesem Verbrechen«, hörte er die uralte, tonlose Stimme, »aber nicht ohne Schuld an dem, was nun auch über uns kommt. Das haben wir uns selbst zugezogen durch unsere Feigheit, unsere Zufriedenheit, solange wir sicher waren. Dafür büßen wir jetzt und darum, seht Ihr, will ich diesmal standhalten.«

»Und ich?«, flüsterte der Vikar in seine Hände hinein.

»Ihr seid noch jung, Ihr werdet entkommen und habt noch viel Zeit zu büßen und die Dinge zu bessern.«

Bis morgen früh, dachte der Vikar, hab' ich noch Zeit mich zu bedenken. Ich weiß im Voraus, ich werde fliehen, ich bin kein Märtyrer. Aber ich kann ihn doch nicht allein lassen im leeren Haus, diese Nacht.

So blieben sie zusammen, in ihren Stühlen am warmen Ofen sitzend, manchmal redend, öfter schweigend, ab und zu auch ein wenig schlafend. Als der Tag graute, wollte der Vikar aufbrechen. Aber die Stadtknechte waren noch früher auf und verhafteten sie beide.

Der jüngere Chorherr war noch am Abend vorher an einem der Stadttore abgefangen worden, verdächtig durch einen schweren Mantelsack, mit dem er sich schleppte. Er hatte es nicht über sich gebracht, seine geliebten Notenbücher zurückzulassen. Das war ihm zum Verhängnis geworden und sein Fluchtversuch den beiden andern. Man beschleunigte ihre Verhaftung, weil man von ihnen das Gleiche zu befürchten schien. So sahen sie einander wirklich noch schneller wieder, als sie gedacht hatten, aber anders, als der leichtsinnige Chorherr gemeint hatte.

4

Pater Friedrich an Pater Tannhofer:
den 14. Mai 1629

Verehrter Freund!
Dies ist nach langer Zeit mein erster Brief an Euch und zugleich der letzte aus dieser Stadt, die ich morgen mit unbekanntem Ziel verlassen werde. Ich selbst habe meine Oberen gebeten mich fortzuschicken, damit ich vor weiterem Ungehorsam in Gedanken und Taten bewahrt bleibe. Denn obgleich ich seit einem halben Jahr mein Amt nicht mehr ausübe und als ein Kranker behandelt werde, hat es mir keine Ruhe gelassen. Ich habe dem Stand der Prozesse

nachgespürt und meinen Nachfolger ausgeforscht, der umso argloser war, als er oft meinen Rat suchte. So erfuhr ich vom Verdacht gegen manche Personen und habe, ich gestehe es offen, einige Male versucht zu warnen, meistens ohne Erfolg. Dieser Verstoß gegen die oberste Regel unseres Ordens belastet indessen mein Gewissen so, dass ich um Befreiung von dieser unausgesetzten Versuchung gebeten habe. So werden mich morgen zwei unserer Brüder auf die Reise an meinen mir noch unbekannten Bestimmungsort begleiten. Dort werde ich mit dem Unterricht an einer Schule hinlänglich beschäftigt sein um meinen Geist von gefährlichen Wegen abzulenken, aber auch Muße zur Erholung und zu eigener geistiger Arbeit haben.

Dennoch verstehe ich diesen Ortswechsel richtig. Er ist nicht zu meiner Erleichterung gedacht, sondern als eine Verbannung, als Strafe dafür, dass ich für wichtigere Aufgaben untauglich bin. Ich, der ich mich vermaß in Indien für Christtum zu zeugen, dem man noch vor zwei Jahren das verantwortungsvolle Amt des Hexenbeichtigers anvertraute! Ich habe versagt, das weiß ich und kenne meine Fehler. Doch kann ich sie nicht ganz so tief bereuen, wie ich wohl sollte.

Es ist wahr, ich habe die höhere Weisheit meiner Oberen immer wieder missachtet über einem ganz unzulässigen, weltlicher Herzensweichheit entspringenden Mitleid mit der Kreatur, ob schuldig oder nicht. Schlimmer noch, ich habe gezweifelt an der Notwendigkeit der angewandten Grausamkeit, an der Rechtmäßigkeit des Verfahrens, vor allem aber, und das war entscheidend, *an der Schuld der armen Unseligen.* Ja, mein Freund, ich wiederhole es hier noch einmal, sosehr ich damit auch schon Anstoß erregt habe: *Nicht eine ist mir begegnet, von der ich mit Sicherheit sagen könnte, sie sei schuldig des Verbrechens, für das sie verurteilt wurde.*

Dies Wissen kann keiner von meiner Seele nehmen, so heftig sie es auch versucht haben. Es ist keine Sache des Glaubens, den ich mir unerschüttert bewahrt zu haben hoffe, sondern die Erfahrung einer unerbittlichen Tatsache, die ich vor mir selbst niemals verleugnen kann. Eben das aber wird von mir gefordert und weil ich darin nicht gehorchen kann und weil es mir verwehrt wird so zu helfen, wie ich es für meine Pflicht halte, bleibt mir nichts anderes übrig, als dieser Stadt morgen in aller Frühe den Rücken zu kehren. Möge ich den Ort meines schmählichen Unterliegens niemals wieder sehen!

Dennoch gehe ich reuevoll und im Gefühl eines unverzeihlichen Versäumnisses. Denn hinter mir lasse ich Hunderte von Verlorenen, denen ich zwar keine Rettung, aber doch den Trost des Erbarmens und der Versöhnung mit Gott geben könnte. Dies, ohne mich zu rühmen, vermöchte ich besser als meine Nachfolger, die wie Spürhunde nur darauf abgerichtet sind, reuige Geständnisse und Bestätigungen der vor Gericht gemachten Aussagen zu erpressen. Das weiß ich gut genug. Wie viele noch werden in dieser Stadt nicht nur eines grausamen Todes, sondern verzweifelnd an ihrem ewigen Heil sterben, und ich, der ich berufen war ihnen zu helfen, ergreife die Flucht!

Eins tröstet mich ein wenig. Man hat mir die Erlaubnis gegeben ein Buch zu schreiben. Ich glaube, dass ich Euch, mein Freund, dafür zu danken habe. Denn so dringend und flehentlich ich darum nachgesucht, habe ich doch nicht geglaubt, dass mir, nach allem, eine so große Gnade gewährt werden würde. Aber ich muss es schreiben und würde es, fürchte ich, heimlich tun, wenn es mir nicht erlaubt worden wäre. Anders kann ich nicht Klarheit gewinnen über die Erfahrungen der letzten zwei Jahre und damit meinen Glauben retten. Es wird ein bitteres Buch werden, ein Gewissensbuch, und mehr soll es nach dem Willen der Oberen auch nicht sein. Mir ist auferlegt worden es für mich allein zu schreiben, auf Verlangen meinen Vorgesetzten Einblick zu gewähren, auf keinen Fall aber anderen oder gar durch Drucklegung der Öffentlichkeit. Mit solcher Einschränkung und unter strenger Aufsicht werde ich an die Arbeit gehen. Mir ist es recht und ich muss gestehen, dass ich zum ersten Mal seit langer Zeit etwas wie Freude empfinde.

Aber schon trübt sich auch dies bescheidene Glück. Denn auch diese Arbeit ist eine Art Fluch. Wem wird sie nützen außer mir selbst? Welchem der Verfolgten in dieser Stadt wird sie das Leben retten oder auch nur das Sterben erleichtern? Keinem Einzigen und ich vermesse mich nicht in fernerer Zukunft auch nur die geringste Wirkung von meinem geschriebenen Wort zu erhoffen. Die eigene Seele werde ich retten, sonst nichts und niemanden. Dennoch wage ich es, eine Abschrift der ersten Blätter meines Gewissensbuches hier beizufügen um Euch

Einblick in Geist und Inhalt der geplanten Arbeit zu geben. So scheide ich denn aus dieser Stadt als ein Geschlagener, ja, schlimmer noch, als einer, der den Kampf aufgibt, die Herde verlässt und feige flieht, ein Mietling. Widersprecht mir nicht aus Nachsicht, mein Freund! Betet für mich, auch wenn Ihr mich verurteilt, und bewahrt mir Eure Freundschaft!

Euer
P. Friedrich

Anlage zum Brief vom 14. Mai
Aus dem Gewissensbuch des Paters Friedrich:

Zwar weiß ich wohl, dass von manchen bezweifelt worden ist, ob es wirklich Hexen, Zauberinnen und Unholde gibt, und wohl bin ich selbst, da ich in den Kerkern mit verschiedenen dieses Verbrechens Beschuldigten häufig und aufmerksam, um nicht zu sagen wissbegierig, umgegangen, des Öfteren so verwirrt worden, dass ich zuletzt kaum noch wusste, was ich von der Sache halten sollte. Doch glaube ich trotz allem daran festhalten zu müssen, dass es wirklich etliche Zauberer auf der Welt gibt, und nur Leichtfertigkeit und Torheit dies leugnen können. Dass es aber so viele und alle die sind, die seither in Glut und Asche aufgegangen sind, daran glaube ich nicht und mit mir viele fromme Männer. Es wird mich auch so leicht keiner zu solchem Glauben bekehren, der nicht mit mir in vernünftiger Überlegung die Frage prüfen will.

Man weiß ja, dass es besonders in Deutschland allerorts von Scheiterhaufen raucht, ein überzeugender Beweis dafür, wie sehr man alles für verseucht hält. Das geht so weit, dass Deutschlands Ruf nicht wenig an Glanz eingebüßt hat, und wir unsern Geruch haben stinkend gemacht vor Pharao und seinen Knechten.

Es sei ferne von mir, dass ich den Obrigkeiten einen Vorwurf machte, weil sie energische Maßnahmen gegen das Verbrechen ergreifen. Nach Gottes Willen haben sie zu befehlen und wir zu gehorchen. Allein so viele sie auch noch verbrennen mögen, sie werden's doch nicht ausbrennen, wenn sie nicht alles verbrennen. Sie verwüsten ihre Länder mehr, als jemals der Krieg es tun könnte, und richten doch nicht das Allergeringste aus.

Es ist um blutige Tränen zu vergießen. Ich habe viel darüber nachgedacht und es zu ergründen versucht. Ich weiß auch, wie viele andere Menschen Seufzer und Gebete zu Gott hinaufgeschickt haben, auf dass er einen Lichtstrahl herabsende und uns zeige, wie das Dunkel zerstreut werden möge. Aber ich sehe: Falls sich ein Mittel fände, das auf gelindere Weise zu diesem Ziel hinführen könnte, so würde sich doch in Deutschland keine Obrigkeit finden, die es der Beachtung wert hielte.

Doch genug davon! Es ist besser zu verschweigen und geheim zu halten, was nur für willige Ohren bestimmt ist.

Aus der Chronik des Malefizschreibers:

Es sind seit der letzten Eintragung gerichtet worden:

Im fünfundzwanzigsten Brand sechs Personen:
Der Friedrich Basser, Vicarius im Domstift,
Der Stab, Vicarius zu Hach,
Der Lambrecht, Chorherr im Neuen Münster,
Des Gallus Hausen Weib,
Ein fremder Knecht,
Die Schelmerey Krämerin.

Im sechsundzwanzigsten Brand sieben Personen:
Der David Hans, Chorherr im Neuen Münster,
Der Weydenbusch, ein Ratsherr,
Die Wirtin zum Baumgarten,
Ein alt Weib,
Des Valckenbergers Töchterlein ist heimlich gerichtet und
mit der Laden verbrannt worden.
Des Ratvogts klein Söhnlein.
Der Herr Wagner, Vicarius im Domstift, ist lebendig ver-
brannt worden.

Im siebenundzwanzigsten Brand sechs Personen:
Ein Metzger, Kilian Hans genannt,
Der Huter auf der Brücken,
Ein fremder Knab,
Ein fremd Weib,
Der Hafnerin Sohn, Vicarius zu Hach,
Der Michel Wagner, Vicarius zu Hach.

Im achtundzwanzigsten Brand, nach Lichtmess 1629,
sechs Personen:
Die Knertzin, eine Metzgerin,
Des Doktor Schützen Babel,
Ein blind Mägdelein,
Der Schwart, Chorherr zu Hach,
Der Ehling, Vicarius.
N.B. Der Bernhard Mark, Vicarius am Domstift, ist le-
bendig verbrannt worden.

Im neunundzwanzigsten Brand acht Personen:
Der Viertel Beck,
Der Klingen Wirt,
Der Vogt zu Mergelsheim,
Die Beckin bei dem Ochsentor,
Die dicke Edelfrau.
N.B. Ein geistlicher Doktor und Chorherr zu Hach,
Meyer genannt, ist früh um fünf Uhr gerichtet und mit der
Bahr verbrannt.
Ein guter vom Adel, Junker Fischbaum genannt, Chor-
herr zu Hach, ist auch mit dem Doktor eben um die Stund
heimlich gerichtet und verbrannt.
Paulus Vaecker zum Breiten Huet.

Seither sind noch zwei Brände getan.
Datum: den 16. Februar 1629
Bisher aber noch viele unterschiedliche Brände getan.

Die Rettung

1

Aus dem Gewissensbuch des Paters Friedrich:

Wir sehen immer wieder, wie ein einmal begonnener Hexenprozess sich durch mehrere Jahre hinzieht, und die Zahl der Verurteilten derart anwächst, dass ganze Dörfer ausgerottet werden, während doch nichts ausgerichtet wird, als dass sich die Protokolle mit den Namen weiterer Verdächtiger anfüllen. Wenn das weiter so fortgehen soll, so ist kein Ende der Hexenverbrennungen abzusehen, ehe das ganze Land menschenleer geworden ist. Wer aber ist so mutig und unbekümmert um Ruf und Ehre, dass er ungeachtet der Gefahr, sich selbst in Schande und Unglück zu stürzen, der Wahrheit das Wort reden möchte?

2

Hoch oben in den Weinbergen an den sanften Hängen der Hügelkette, die das Land gegen Osten begrenzt, stand eine Hütte. Sie war ein wenig größer und fester gebaut als die Schuppen, in denen sonst die Winzer ihre Geräte aufbewahren und bei plötzlichem Wetter unterschlüpfen, besaß sogar Fenster und einen gemauerten Rauchfang. Denn der einstige Besitzer des Weinbergs, ein Apotheker aus dem na-

…en Städtchen, hatte in glücklichen Friedenszeiten zur Weinlese gern mit Frau und Kindern da oben gewohnt, auch mit Freunden inmitten seiner Reben gezecht. Aber das war lange her. Die Kriegszeit hatte auch ihn arm gemacht, er und seine Kinder waren an der Pest gestorben. Die Witwe hatte den Weinberg an den Bauern verpachtet, der ihn sonst bestellt hatte. Als sie starb, vermachte sie ihm einem entfernten Verwandten, der als Arzt in der Bischofsstadt saß. Damals waren aber die Straßen schon lange zu unsicher, als dass er öfter als einmal gekommen wäre um sein Erbe zu besehen. Er verlängerte die Pacht und mahnte niemals, wenn sie zu spät oder gar nicht einging. Die Hütte im Weinberg verfiel, die Fensterscheiben zerbrachen, der rötliche Putz bröckelte ab und die Tür, aus dem verrosteten Schloss gefallen, schlug im Wind.

Im Sommer 1628 aber war die Hütte plötzlich wieder bewohnt. Die Leute sahen eine fremde Frau darin herumwirtschaften, eine Städtische, wie es schien, nicht mehr jung, doch auch nicht alt. Der Pfarrer, an den sie sich zuerst gewendet hatte, sagte, sie sei eine Verwandte des Doktors, der den Weinberg geerbt hatte, durch den Krieg verwitwet, verarmt und heimatlos geworden wie so viele. Der Doktor hatte ihr Unterschlupf in der Hütte gewährt und den Pfarrer in einem Brief gebeten sich ihrer anzunehmen. Dass diese Bitte von einem schweren Geldbeutel unterstützt gewesen war, verlautete nur gerüchteweise. Aber anders war es wohl nicht zu erklären, dass der Pächter des Weinbergs sich sogleich bereit fand die Hütte in Stand zu setzen,

Brennholz und den nötigsten Hausrat hinaufzuschaffen, ja, das wenige an Milch und Brot, dessen die Frau bedurfte, ihr täglich zu schicken. Der Pfarrer sprach freundlich über sie und ermahnte zum Mitleid mit ihrem schweren Schicksal. So hörten die Leute bald auf, sich über die neue Nachbarin zu wundern.

Sie lebte still für sich und suchte keine Bekanntschaft, kaum einmal ein Gespräch. Sie hatte im Dorf um Arbeit gebeten und spann für die Bauersfrauen um geringen Lohn, um Nahrungsmittel und einfachen Hausrat. Denn in der Hütte fehlte es immer noch an Notwendigem. Der Faden, den sie spann, war so glatt und fein, dass ihre Arbeit bald begehrt war. So sah man sie den Sommer über und bis in den Herbst hinein, wenn das Wetter es irgend erlaubte, und solange das Tageslicht anhielt, mit ihrem Spinnrad vor der Hütte sitzen. Von den flinken Händen fort blickte sie über Weinberge und Dächer hinaus in die Ebene, als warte sie auf irgendetwas oder auf jemanden. Aber niemand kam, niemand fragte je nach ihr.

Das Land ringsum unterstand nicht mehr Herrschaft und Gericht des Bischofs, sondern den mächtigen Grafen von Abenberg, die ihm von jeher aufsässig und auch in der Hexenfrage seine Gegner waren. Der jetzt regierende Graf hatte vor Jahren in einer kleinen Stadt, wo er die Gerichtsbarkeit mit dem Bischof teilte, einen Hexenbrand durch seinen Einspruch verhindert und seinen Standpunkt klug und mutig zu verteidigen gewusst: »*Wann aus der Marter und erzwungenem Geständnis zu viel und Unrecht geschehen sollte, ich solches schwerlich vor Gottes Gericht verantwor-*

ten könnte.« Natürlich glaubte auch er an Hexen, wie hätte er anders können! Aber er verabscheute das schreckliche Unmaß, das die Verfolgungen schon damals im benachbarten Bischofsland anzunehmen begannen, und mahnte seine Amtsleute zur Vernunft. So konnte, wer in sein Land flüchtete, sich vor Verfolgungen solcher Art einigermaßen sicher fühlen.

Dennoch war es gut für die Frau, dass der folgende Winter mild und ohne Wetterschäden verlief, dass der nächste Sommer zum ersten Mal wieder eine gute Ernte brachte und auch sonst kein allgemeines Unglück vorfiel. Sonst hätte sie wohl auch hier in Verruf und endlich in Verdacht kommen können. Denn die Zeiten waren überall voller Angst und Misstrauen. Das gute Glück aber wollte es, dass ihr Frieden nicht gestört wurde.

Doch war sie nicht froh, sondern schwand immer mehr dahin. Als sie in der ersten Frühlingssonne wieder vor der Hütte zu sitzen begann, war sie gebeugt und grau geworden, ihr Gesicht verwelkt. Nur ihre Augen blickten immer noch wachsam vom Spinnrad auf in die Ferne, spähend und wartend.

3

Aus dem Gewissensbuch des Paters Friedrich:

Unschuldige sind ruhig und furchtlos, denn sie rechnen ja niemals damit, dass unvorsichtige, urteilslose Richter zu Gericht sitzen werden, die den Denunziationen verworfener Teufels-

knechte mehr Glauben schenken als ihrer Sittenreinheit, die sie freispricht.

Ich weiß aber sehr viele ausgezeichnete, gewissenhafte Leute, die große Angst haben, manche so sehr, dass sie in andere Gegenden gezogen sind. Ich weiß noch andere, die mich deswegen um Rat gebeten haben – weiß von Leuten, die in eine benachbarte Stadt eilten sich Rats zu holen und Beichte abzulegen, und als sie zurückkehrten, gerade deswegen festgenommen wurden, weil das ein Indiz sei, dass sie die Flucht ergriffen hätten und doch nicht hätten fliehen können, weil ihnen Gott zur Strafe die Sinne verwirrt hätte. Zu beweisen, dass es nicht so sei, wurde ihnen nicht erlaubt. Ich weiß, dass manche sich längst überlegt haben, was sie für Aussagen erfinden wollen, wenn sie gefangen und durch die Folter gezwungen würden sich schuldig zu bekennen, damit ihre Lügen wahrscheinlich klängen und es kurz abgemacht würde mit ihnen. Wohl weiß ich auch, wie vielen ich Auskunft in solchen Gewissensfragen gegeben habe, wie weit man ohne eine Todsünde zu begehen in der Tortur sich und andere fälschlich belasten dürfe. Wie denn in der Tat an vielen Orten zahlreiche gute Menschen in ungeheurer Angst leben. Wehe dem, der einmal den Fuß in die Folterkammer gesetzt hat! Er wird ihn niemals zurückziehen können, ehe er alles gestanden hat, was man sich nur ausdenken kann. Dass wir nicht allesamt Zauberer sind, hat nur den einen Grund, dass wir noch nicht mit der Folter in Berührung gekommen sind.

4

Zum zweiten Mal wurde es Winter, seit die Frau in der einsamen Weinberghütte wohnte. In einer dunklen Morgenfrühe kurz vor Weihnachten lag sie noch zu Bett, hörte den Wind im Schornstein heulen und an Tür und Fenstern rütteln. Es war kalt in der Hütte. Sie hätte aufstehen, die Glutfunken auf der Herdstelle anfachen und Holz auflegen können. Aber sie konnte sich nicht dazu aufraffen. An diesem Wintermorgen war sie am Ende ihrer Kräfte angelangt, ihres Mutes, ihrer Geduld und Zuversicht, die sie fünfzehn Monate lang aufrechterhalten hatte. Sie fühlte sich dem Tode nahe und dachte, dass vielleicht keiner ihrer Lieben je davon erfahren oder nach ihr fragen würde.

Wo waren sie geblieben, Sebastian, Katrin, Sabine? Hatte er die Töchter nicht gefunden oder waren sie noch auf dem Wege zu ihr verloren gegangen? Warum war er nicht selbst gekommen ihr zu berichten und sie zu trösten? Sie hatte so fest geglaubt, sein Zorn würde bald vergehen und alles zwischen ihnen wieder sein wie einst. Dann hätte er wohl jede Reise abgebrochen um zu ihr zu eilen und bei ihr zu sein im Unglück, im Kummer um die Töchter. Was war aus ihnen geworden? Lebten sie noch? Sicher nicht, sonst wären sie längst gekommen, wenigstens eine von ihnen. So viele Rufe der Sehnsucht und Ströme des Willens hatte die Mutter Tag für Tag ausgeschickt nach ihnen. Kein Lebender hätte widerstehen können, es sei denn, dass sie jene Kräfte verloren hätte, die Sebastian nicht gelten lassen wollte. In dieser Stunde zweifelte sie selbst daran und war nicht mehr als ein hilfloses, altes Weib auf dem Sterbelager.

Als es dämmerte, sah sie, dass sich die kleinen Fenstervierecke mit flaumigen Polstern füllten. Der erste Schnee fiel und würde bald Hügel, Dorf und Ebene wie ein Leichentuch bedecken. Der Gedanke schien ihr seltsam tröstlich.

In diesem Augenblick hörte sie Schritte herankommen und vor der Schwelle stampfen, dann die Stimme des Pächters, die nach ihr rief. Sie warf ihren Mantel über und öffnete. Draußen standen im Schneetreiben zwei Gestalten, der Bauer mit einem Kind auf dem Arm und eine Frau, die sie nicht gleich erkannte. Es war Jakobe. Auch sie starrte die Mutter erschrocken an und fragte, ob sie es sei. Dann fiel sie ihr weinend um den Hals. Der Bauer redete dazwischen und versuchte zu erklären, was ihm selbst ein Rätsel war. Die Frau sei heute Morgen, noch im Dunkeln, auf den Hof gekommen mit dem Kind und habe zu ihr in den Weinberg hinaufgewollt, gleich, und auch das Kind habe mitgemusst. Warum, das wisse er nicht. Er hätte ihr gern Quartier auf dem Hof gegönnt.

Jakobe, als einmal ihre Tränen flossen, konnte nicht mehr aufhören zu schluchzen. Die Mutter musste für sie reden. Sie dankte dem Bauern für seine Mühe und versprach später hinunterzukommen und alles zu regeln. Sie nahm ihm das Kind ab, ihren jüngsten Enkel, trug ihn hinein und legte ihn aufs Bett, wo er sofort aus seinem unruhigen Halbwachsein in tiefen Schlaf versank. Jakobe folgte ihr taumelnd und sank auf den Bettrand. Die Mutter schloss die Tür, entfachte das Feuer, setzte Milch zum Wärmen daran und bettete die Tochter bequem. Gehorsam trank Jakobe die warme Milch, die ihr gereicht wurde, aber schlafen wollte sie nicht. Erst wollte sie reden, erst sollte die Mutter alles wissen.

Sie hätte es sich denken können. Das lange Gefürchtete war geschehen, das Mal auf der Schulter des jüngeren Töchterchens entdeckt worden. Die alte Gret hatte tapfer geschwiegen. Schon im Sommer war sie verhaftet worden, aber erst kurz vor ihrem bußfertigen Tode um Martini hatte sie ihr Geheimnis preisgegeben, dass eins der Kinder ihrer Herrschaft vom Teufel gezeichnet sei. Davon zu wissen musste sie mehr bedrückt haben, als jemand ahnte. Sie hatte mit solcher Kenntnis auf dem Gewissen nicht sterben wollen. Für das Gericht war es ein gefundenes Fressen gewesen. So deutliche Merkmale fand man nicht oft und die Steres waren reich. So war die Kleine – drei Jahre alt! – verhaftet worden und das fünfjährige Schwesterchen gleich mit, als es laut weinend das jüngere nicht loslassen wollte. Es werde wohl aus dem gleichen höllischen Nest stammen, hatte der Büttel kurzerhand befunden.

Das war vor wenigen Tagen geschehen und seitdem hatte Jakobe, neben der Angst um die Kinder, zu Hause die Hölle erlebt. Ihr Mann beschimpfte sie, weil sie das Mal verheimlicht hatte, und seine böse Mutter bestärkte ihn darin. Die schlimmsten Verdächtigungen über ihre Herkunft hatte sie anhören müssen und vergeblich gefleht, der Ratsherr möge lieber darüber nachdenken, was er zur Rettung seiner Kinder unternehmen könnte, Eingaben machen,

Bußgeld bieten. In blindem Zorn hatte er geschwo-
ren, sie gingen ihn nichts mehr an, weder die Frau
noch die Teufelsbrut. Da hatte sie sich keine andere
Hilfe mehr gewusst als die Mutter und sich auf den
Weg gemacht nach der Weinberghütte als der letzten
Zuflucht, die ihr geblieben war. In der Abenddämmerung, kurz ehe die Stadttore sich schlossen, war
sie aus der Stadt geschlichen, den Jüngsten, das letzte
Kind, das ihr geblieben war, im Arm. Ein Bauernwa-
gen hatte sie ein Stück Weges mitgenommen, dann,
um Mitternacht auf einsamer Landstraße abgesetzt,
war sie weitergewandert, den schweren, schon mehr
als zweijährigen Buben bald auf dem Arm, bald auf
dem Rücken schleppend, bis sie im Morgengrauen
halb erfroren im beginnenden Schneetreiben das
Dorf und den Hof des Bauern erreicht hatte.

»Hilf uns, Mutter! Nur du kannst es noch, aber du
kannst es, das weiß ich.«

»Warum«, fragte Veronika leise, »glaubst du das?«

Da fuhr die Tochter in wildem Zorn auf sie los:
»Verstell dich doch nicht! Ich weiß Bescheid, schon
lange. Du hast immer mehr gewusst und mehr gekonnt als erlaubt ist.«

Veronika saß still da, tief erblasst, ins Herz getroffen von der Einsicht erkannt und verurteilt zu sein,
wo sie es nie erwartet hatte. Sie fand keine Antwort,
indessen die Tochter, halb von Sinnen vor blinder
Angst, alles hervorsprudelte, was sie wohl seit Jahren
gegen die Mutter auf dem Herzen hatte: Erinnerungen aus der frühesten Kindheit an Dinge, die ihr damals als Wunder erschienen waren, an die heilenden
Hände der Mutter, deren Wirken sie argwöhnisch be-

obachtet hatte, und endlich laut weinend: »Und das Mal auf der Schulter, das Teufelszeichen, das mein Kind trägt, daran bist du schuld, nur du! Weil du eine Hexe bist, Mutter!«

Danach vermochte sie nichts mehr zu sagen, nur noch zu weinen. Auch Veronika schwieg. Erst nach einer Weile, als das Schluchzen leiser wurde, legte sie Jakobe die Hand auf die zuckende Schulter und sagte: »Ich mach's wieder gut, sei ruhig, ich helfe dir.«

Es kam keine Antwort. Jakobe war vor Erschöpfung mitten aus dem Weinen in Schlaf gesunken. Die Mutter zog das Deckbett über sie und drückte es sorgsam fest um die beiden Schlafenden. Sie schürte das Feuer und legte Holz auf, bis die prasselnden Flammen die Hütte zu durchwärmen begannen. Danach saß sie lange auf dem Schemel davor, die Hände im Schoß, und dachte nach.

Ich helfe dir – warum war ihr nicht schon längst eingefallen, wie einfach das für sie war? Hatte erst dies kommen müssen, das Ärgste, die Bedrohung der kleinen Kinder, und dass ihr die eigene Tochter die Schuld daran vorwarf? Ja, sie hatte die Schuld, wenn auch anders, als Jakobe glaubte. Sie würde sie sühnen und die Enkel retten, auch das auf andere Weise, als die Tochter es sich vorstellte. Ja, es war einfach. Kein Zauberspruch, keine übernatürlichen Kräfte waren dazu nötig. Nur ein Entschluss musste gefasst, Abschied genommen werden von etwas, das ihr ohnehin nicht mehr viel wert war. Warum dachte sie erst heute daran, die Waffe gegen das Böse, die sie, nur sie allein besaß, endlich anzuwenden? Sie lä-

chelte in die Herdflamme und es war kein wehmüti-
ges Lächeln, sondern eins voll von düsterem Triumph.

Draußen stapfte wieder jemand durch den Schnee
heran. Sie ging hinaus und traf den Knecht des Bauern, der einen größeren Krug Milch als sonst und
mehr Brot brachte und fragte, ob sie sonst noch etwas brauche. Sie bat ihn gleich noch einmal mit dem
Holzschlitten zu kommen um die fremde Frau und
ihr Kind hinunter auf den Hof zu holen. Der Bauer
möge sie einstweilen dort aufnehmen. Sie selbst
werde etwas später hinunterkommen um die Sache
mit ihm zu bereden. Der Mann ging und wunderte
sich, wie anders als sonst die alte Spinnerin mit ihm
gesprochen hatte, so als hätte sie etwas zu bestim-
men. Nun, das mochte der Bauer mit ihr ausmachen.

Als er fort war, fing die Frau an sich für eine weite
Wanderung vorzubereiten, zog sich warm an, holte
feste Schuhe und den schwarzen Kapuzenmantel
hervor, auch einen Stab aus Rebholz, den sie sich für
die Gänge auf steinigen Pfaden zurechtgeschnitten
hatte, und ein Stück Brot als Wegzehrung. Dann trat
sie an das Bett und legte ihre Hände auf Brust und
Stirn der Tochter, zum letzten Mal ihre beargwöhnte,
geheimnisvolle Kraft auf sie ausströmend. Nun
würde sie schlafen bis zum nächsten Morgen und erholt aufwachen. Für den Kleinen, der mit roten Ba-
cken im Arm der Mutter schlummerte, war kein
Handauflegen nötig. Lächelnd strich ihm die Großmutter die feuchten Locken aus der Stirn.

Bald kam der Knecht mit dem Schlitten. Sie trugen
die Schlafenden in den Bettkissen heraus und bette-

ten sie in das Heu, mit dem der Schlitten gepolstert war. Veronika löschte noch das Feuer, schloss die Hütte ab und folgte langsam durch den hohen Schnee der gleitenden Fuhre zu Tal. Sie führte mit dem Bauern ein langes Gespräch und sah noch zu, wie Jakobe mit dem Kind hinter den blau bedruckten Vorhängen des Alkovens in der großen Stube gebettet wurde. Sie gab dafür ihre letzten Goldstücke her. Dann ging sie fort. Ihre gebeugte Gestalt verschwand zwischen den kahlen Baumgärten in der frühen Dämmerung, ihre Fußspuren verwehte der Schnee.

5

Aus der Chronik des Malefizschreibers:

den 13. Dezember 1629

Es verlautet im Amt, dass dieser Tage, da das Jahr zu Ende geht und die Prozesse fast drei Jahre währen, Fürstliche Gnaden sich haben Rechnung legen lassen über den Ertrag aus den konfiscierten Hexengütern und über die aus den Prozessen erwachsenen Unkosten. Es sollen sich, was kaum glaublich scheint, die Einnahmen auf rund 70 000 Gulden belaufen, die Ausgaben dagegen auf 57 000, worin noch etwa 20 000 Gulden auf Zinsen ausgeliehene Gelder enthalten sind. Auf die freudige Nachricht von so unverhofft reichem Gewinn hat denn auch das Domkapitel nicht gesäumt Fürstliche Gnaden um einen Anteil daraus zu ersuchen, allein zu dem frommen

214

Zweck auch in den domkapitel'schen Kirchen Seelenmessen für die armen unseligen Abgeleibten lesen zu lassen. Darüber sollen Fürstliche Gnaden in großen Zorn geraten sein und unbesonnen ausgerufen haben: »Ein verehrliches Domkapitel möge auch brennen, alsdann hätte man auch Geld.« Das Wort war heraus und Fürstliche Gnaden hätten es gewiss gern in den eigenen Hals zurückgehabt. Aber es ist schon in der Stadt herum und hat viel böses Blut gemacht, so dass die Leute noch unwilliger als zuvor den Prozessen zusehen. Die Angst davor und vor den Hexen ist freilich nicht geringer geworden und nichts hat sich geändert, im Gegenteil. Die Gefängnisse sind voller als je und die Brände wieder häufiger. Gegenwärtig wagt sich, trotz der weihnachtlichen Zeit, kaum einer auf die Gasse, nicht einmal die Kinder.

6

Drei Tage vor Weihnachten lag die Stadt tief im Schnee vergraben, der durch Tage und Nächte unaufhörlich gefallen war. An diesem Morgen aber hatte es aufgehört zu schneien. Dafür kam aus dem eisgrauen Himmel ein eisiger Nordost dahergestürmt, der durch alle Ritzen drang und das Blut erstarren ließ. Noch weniger Leute als sonst wagten sich vor die Tür, sogar der dürftige Christkindlesmarkt, der sich nach altem Brauch rings um das Marienkirchlein aufgebaut hatte, lockte nur wenige an. Ein paar Hausfrauen feilschten um die bescheidenen Waren, die ausgestellt waren, Kinder mit rot gefrorenen Näschen und Händen wärmten sich an Bratäpfeln und hatten ihren Spaß an einem trübseligen Kasperle, dem in den schlechten Zeiten der Witz fast ganz ausgegangen war.

Da schlug hoch oben unter dem farblosen Himmel eine Glocke an, eine einzelne, nicht zu einem Geläut, nur zu einem harten Scheppern, ohne Melodie, ohne Nachhall, einsam und trostlos. Jeder in der Stadt kannte den Ton und wusste, was er bedeutete. Die Mütter riefen ihre Kinder zu sich und fassten sie an der Hand. Jedes Gespräch verstummte. Scheu blickten alle dem Zug entgegen, der die Gasse vom Rathaus heraufkam, voran der Herr Hofschultheiß zu Pferde, dann Büttel und Stadtknechte, die den rumpelnden Karren begleiteten. Nach den vier Jammergestalten, die darauf hockten, sah keiner hin. Es war besser, sie nicht zu erkennen oder gar einen Gruss auf sich zu ziehen. Auch von Meister Conz, dem Henker, der im roten Wams und Mantel hinterdrein ritt, wandten sich die Blicke ab und die geschlossene Kutsche, in der die Amtspersonen saßen, erregte keinerlei Neugier. Es folgte niemand diesem Zug zum fünfundvierzigsten oder sechsundvierzigsten Hexenbrand vor das Sandertor hinaus.

Mitten auf dem Marktplatz stockte der Zug. Vor den Karren, dicht neben den tief gesenkten Kopf des Kleppers, war eine Gestalt getreten und hob Halt gebietend die Hand, eine alte Frau im schwarzen Kapuzenmantel. Was wollte sie? Die Männer schimpften, der Knecht, der den Karren lenkte, klatschte mit der Peitsche. Alles empörte sich über den unerhörten Vorgang, doch regte sich auch die Neugier, was daraus werden sollte. Die Frau bewegte die Hand mit beruhigendem Winken, als werde der Aufenthalt nicht lange dauern. Sie trat ganz an den Karren heran, setzte den Fuß in die Radspeichen und schwang sich hinauf. Da stand sie, legte einer der vier grauen Gestalten die Hand auf die Schulter und beugte sich über sie. Nun hielten alle den Atem an, gebannt von dem seltsamen Tun. Später sollten Büttel, Knechte, Henker und der Hofschultheiß selbst aussagen, sie hätten in dem Augenblick weder Hand noch Fuß zu rühren vermocht. Inzwischen redete die Frau leise mit den Verurteilten, aber niemand konnte sie verstehen. Das fortdauernde Scheppern der Glocke übertönte ihre Stimme. Der Priester, der mit auf dem Karren saß und vergeblich Einspruch versuchte, hörte ihre Worte und wunderte sich.

Dies alles wurde erst später den Leuten merkwürdig. Nach der ersten Verblüffung schimpften alle über das verrückte Gehaben und den unnötigen Aufenthalt. Aus ihrer Kutsche riefen die Gerichtsherren, sie wollten auch einmal wieder heim. Aber ehe irgendein Befehl gegeben oder die Peitsche gebraucht werden konnte, war das Weib schon wieder vom Karren herunter und winkte zur Weiterfahrt. Den Henker grüßte sie noch besonders mit der Hand, so dass der spottete: »Kannst's wohl nicht abwarten, Alte, bis du auch drankommst?« Aber ganz wohl war ihm nicht dabei und wenig später ging ihm auf, dass es nichts als teuflischer Hohn gewesen sein musste ihr gerade in diesem Augenblick zuzuwinken.

Die Alte war so schnell in der Menge verschwunden, dass niemand sie wahrnahm. Der Karren polterte mit seiner traurigen Last im düsteren Geleit weiter seinen Weg. Den Leuten auf dem Marktplatz aber war die Lust vergangen am Handeln und am Schwatzen. Der Wind blies schärfer und es schien zu dämmern, obgleich kaum Mittag vorüber war. Die Frauen zogen ihre Kinder mit heim, die Händler schlossen ihre Stände. Sie hatten es ja gewusst: In der Hexenstadt waren keine Geschäfte zu machen. Da kam immer etwas Unheimliches dazwischen. Bald lag der Markt verlassen da.

Aber noch war keine Stunde vergangen, da wurde es wieder laut genug auf ihm. Die Gasse vom Sandertor her kam es in wilder Jagd, zuerst der Wagen der Gerichtsherren, dann der Karren in ungewohnter Eile. Die Stadtknechte rannten keuchend hinterdrein, die Hellebarden auf der Schulter. Hofschultheiß und Henker ließen sich gar nicht sehen, sie hatten Seitengassen für den Rückweg gewählt. Die anderen aber redeten laut und aufgebracht über das Unerhörte, das sich begeben hatte, und schrien es allen zu, die bei dem Lärm neugierig vor die Türen kamen. Wie war so etwas möglich gewesen? Wo hatte es je ein Beispiel für solchen Casus gegeben? Tot alle vier! Tot waren die Malefikanten auf der Richtstatt angekommen. Als der Knecht des Henkers sie vom Karren zerren wollte, da waren ihm ihre Leichen entgegengefallen wie Holzscheite. Er hatte vor Schreck fast den Verstand verloren und Meister Conz erst recht. Den traf es als eine Schande, dass ihm so etwas hatte zustoßen können. Ein vorzeitig Verstorbener wäre schon schlimm genug gewesen, aber vier, die rechtens verurteilt waren, einfach der Justiz entzogen! Dabei kein Zeichen von Gewalt

218

oder Gift, nein, sie lagen da wie eingeschlafen, mit Gesichtern, als hätten sie trotz ihrer Verworfenheit ein seliges Ende gefunden. Das war das Schlimmste.

Natürlich gab es keinen Zweifel darüber, wer das getan hatte. Sie hatte ja alle selbst gespürt, wie sie für einen Augenblick verhext gewesen waren und nicht Arm noch Bein rühren konnten. Der Pfaff auf dem Karren war nur zu blöde gewesen um gleich mit wirksamen Mitteln einzugreifen.

Diesen armen Pfaffen hatten die Herren gleich in ihrem Wagen mitgenommen zur Kanzlei, wo er zu Protokoll geben sollte, was er gesehen und gehört hatte. Das war fast nichts und es verstörte ihn selbst am meisten, dass es so war. Die Frau hatte mit den vier Verurteilten gesprochen, nichts Besonderes, keine Zaubersprüche, wie er zuerst geglaubt, nur ein paar freundliche Worte. Das Letzte aber hatte er deutlich verstanden. Da hatte sie gesagt: »Ihr seid die Letzten«, und dabei der Reihe nach jedem zwei Finger auf die Stirn gelegt, ganz leicht, nur so – nein, ein Zeichen habe er nicht bemerkt. Dass die vier danach noch tiefer in sich zusammengesunken waren, hatte ihn nicht gewundert bei der Kälte, die auch ihn durchschauerte. Umso lauter habe er seine Gebete gesprochen. Hätte er ahnen können, dass sie ihn nicht mehr hörten?

Der Stadtphysikus, der zufällig anwesend war, meinte, der Unfall könnte auch eine ganz natürliche Ursache haben. Bei solcher Kälte eine gute Stunde reglos auf dem Karren zu sitzen könnte bei stark geschwächten und dünn bekleideten Personen schon den Tod bewirken. Aber er wurde überstimmt. Alle Augenzeugen waren sich darüber einig, wer schuld war, ohne Zweifel eine der allergefährlichsten Hexen, die es je in der Stadt gegeben hatte. Und die lief frei herum! Man beeilte sich den Haftbefehl auszufertigen und die Stadtknechte auszuschicken, damit sie die verruchte Person dingfest machten.

Aber würde man sie überhaupt finden? War es nicht zu erwarten, dass eine mit solchen Fähigkeiten den Ort ihrer Untat auf dem schnellsten Besen verließ und sie alle schon längst von einer Turmspitze aus mit höllischem Gelächter verspottete? Die ausgesandten Knechte hofften heimlich, dass es so wäre. Denn wer wollte sich mit einer einlassen, die sich wirklich aufs Hexen versteht, die einem »den Letzten« gibt wie beim Kinderspiel, und man fällt gleich tot um! So gaben sie sich keine besondere Mühe die Gesuchte zu finden, so laut sie sich auch in den dämmernden Gassen aufführten.

Dennoch traf einer, der, etwas mutiger als die andern, noch einmal den Tatort absuchte, an der Kirchenpforte auf eine verdächtige Gestalt. Er glaubte zuerst, es sei ein Fahrender, der sich dort in seinen Mantel gehüllt zur Nachtruhe niedergekauert hatte. Dann aber sah er, dass es eine Frau war, und sie kam ihm bekannt vor. Denn er war einer von denen gewesen, die den Karren begleitet hatten. Er erschrak so sehr, dass er nur schüchtern fragte: »Vergebt mir die Frage, seid Ihr vielleicht die Hexe?«

»Die bin ich«, erwiderte die Frau ruhig.

Da erschrak er noch mehr und stotterte: »Also dann – dann muss ich dich verhaften.«

»Tu das nur!«, sagte sie, stand auf und hielt ihm die Hände hin, damit er sie binde.

Er aber tat einen Satz rückwärts und schrie laut nach seinen Kameraden. Die kamen mit ihren Spießen und Laternen angerannt und sammelten sich in sicherer Entfernung von der Frau, die still, mit gefalteten Händen, auf den Kirchenstufen wartete, was mit ihr geschehen sollte. Erst als sie zu fünfen waren, wagten sie Hand an sie zu legen und führten ihre Beute zur Alten Münze im Kanzleihof, wo die Bewachung am strengsten war. Dann meldeten sie, wie es ihnen befohlen war, trotz der späten Stunde dem Kanzler selbst, dass der Befehl ausgeführt und die gefährliche Hexe, die Einzige, die in dieser Stadt je auf frischer Tat ertappt worden war, hinter Schloss und Riegel gebracht sei.

7

Aus dem Gewissensbuch des Paters Friedrich:

Wenn die Prozesse weiter so betrieben werden, dann ist heute niemand, gleich welchen Geschlechts, in welcher Vermögenslage, Stellung oder Würde er sei, mehr sicher. Sofern er nur einen Feind hat, der ihn verleumdet, er muss zu der Stunde dem Brandmeister in die Hand, da er es am wenigsten vermeint hat. So steuern die Dinge, wohin ich blicke, auf ein furchtbares Unglück hinaus. Ich habe es zuvor gesagt und sage es wieder: Mit Feuerbränden kann man den Hexen, was es mit ihnen auch auf sich haben mag, nicht beikommen, wohl aber auf andere Weise, ohne Blutvergießen. Wer aber begehrt davon zu erfahren? Ich hatte noch mehr sagen wollen, aber der

*Schmerz übermannte mich so sehr, dass ich dies Werk nicht zu
Ende führen kann. Vielleicht werden einmal Männer kommen, die es, dem Vaterland und der verfolgten Unschuld zuliebe, vollenden werden.*

8

Die ertappte Hexe, die durch so glückliche Umstände in die Hände der Justiz gefallen war, wurde
gleich am nächsten Morgen zum Verhör geführt, damit sie noch vor den Gerichtsferien während der heiligen Tage abgeurteilt und, wenn irgend möglich,
auch gerichtet werde. Wer mochte eine so gefährliche Person länger als notwendig in Gewahrsam halten! Ketten, Mauern und Riegel vermochten doch
nichts gegen so eine und welcher Rache setzte man
sich womöglich aus! Da half nur das Feuer. Es verlautete, dass der Kanzler selbst der Verhandlung vor-
sitzen wolle. Auch wurden besondere Vorkehrungen
getroffen, Gerichtsstube und Foltergeräte geweiht
und die beteiligten Amtspersonen durch Amulette
und kirchlichen Segen geschützt. Dies alles sprach
sich herum und so gern die Leute sonst allem aus
dem Wege gingen, was mit den Prozessen zusam-
menhing, zufrieden, solange sie selbst nicht betroffen waren, diesmal sammelten sich doch Neugierige
vor der Kanzlei in der Hoffnung auf irgendeine au-
ßergewöhnliche, möglichst schaurige Begebenheit.

Sie wurden enttäuscht. Das Verhör dauerte kürzer
als sonst.

Schon lange vor Mittag verließen die Richter und Schreiber die Kanzlei, bleich und ungewöhnlich eilig, aber vielleicht nur wegen der Kälte. Dagegen wurde sehr beachtet, dass der Doktor Brandt seine Kutsche anspannen ließ und sogleich zur Burg hinauffuhr.

Der Bischof, von der Mittagstafel abgerufen, empfing vom Kanzler ein gesiegeltes Blatt, das er verwundert betrachtete. Es schien weder ein Brief noch ein Dokument zu sein, nur ein Stück raues Kanzleipapier, flüchtig zusammengefaltet, jedoch mit dem Siegel des Gerichts geschlossen. »Was ist das?«, fragte er misstrauisch.

»Das Geständnis der bewussten Hexe, heute früh unter der peinlichen Frage abgelegt. Belieben Fürstliche Gnaden selbst zu lesen!«

Der Bischof erbrach das Siegel, trat zum Fenster und las – las lange an den wenigen Zeilen. Dann fuhr er herum, hochrot bis in den Spitzenkragen. »Das ist eine Lüge, eine ganz abgefeimte dazu!«

»Selbstverständlich eine Lüge!«, bestätigte der Kanzler kalt. »Wer dürfte es wagen, Fürstliche Gnaden, den verdienstvollsten Vorkämpfer gegen das Gelichter, der Teilnahme an dessen gräulichen Lustbarkeiten zu beschuldigen!« Er sagte nicht, dass bisher jede Aussage, am gleichen Ort, unter den gleichen Umständen geschehen, als unwiderrufliche Wahrheit gewertet worden war. Diesen Vers mochte sich der Bischof selbst machen. »Nur«, fuhr er fort, »sind dergleichen Anklagen noch schwerer zu entkräften als zu beweisen. Was aber das andere Indiz angeht, das Mal auf der Schulter – schwarz, behaart, so groß wie eines Mannes Daumenabdruck –, so lässt sich das ja zum Glück leicht widerlegen. Fürstliche Gnaden werden nicht zögern, durch ein Zeugnis von Dero Leibarzt . . .«

»Ich denke nicht daran!«, fiel ihm der Bischof ins Wort. »Es ist doch wohl unter meine Würde, mich einer schwatzhaften Vettel zuliebe einer Leibesvisitation zu unterziehen.«

Der Kanzler verbarg sein Staunen und meinte, der kleine Kreis von Amtspersonen, der die Besagung gehört habe, sei leicht zum Schweigen zu verpflichten. Dennoch wäre es wohl klüger, die lügnerische Behauptung gleich im Keim zu widerlegen, ehe sie auf irgendeine Weise doch unter die Leute käme. Das, sagte der Bischof, könne auch auf andere Weise geschehen. Sofort solle das Weib ihm vorgeführt werden, dann werde sich schon zeigen, wie weit ihre Frechheit ginge. Der Kanzler gab zu bedenken, dass eine solche Überführung von Gefangenen auf die Burg nicht üblich sei und ein Aufsehen erregen werde, das man besser vermeide. Zudem sei es ungewiss, ob die Malefikantin im Stande sei in schicklicher Weise vor Fürstlichen Gnaden zu erscheinen. Heute morgen nach dem Verhör habe es übel mit ihr gestanden.

Der Bischof murrte, musste es aber einsehen. Doch gab er deshalb seine Absicht nicht auf. Er entschied, er werde sich also selbst hinunterbegeben ins Gefängnis und das Weib zur Rede stellen. »Und Ihr, Doktor, werdet mich begleiten, denn Euer Zeugnis ist wichtiger als jedes andere.« Er duldete keinen Widerspruch mehr, rief nach Hut und Mantel und befahl seltsamerweise den Diener Mathias, der sie brachte, zu seiner Begleitung. Die Kutsche des Kanzlers, die noch im Hof wartete, trug die drei hinunter in die Stadt und zum Kanzleihof. Der Bischof redete kaum ein Wort während der Fahrt, doch entging dem erfahrenen Auge des Kanzlers nicht eine gewisse ungeduldige Hast, die ungewohnt an seinem Herrn war.

Der Schließer in der Alten Münze staunte, dass Fürstliche Gnaden selbst Einlass forderten. Solange er denken konnte, hatte noch nie ein Bischof oder einer vom Adel oder auch einer der Herren Räte das Hexengefängnis betreten. Dass Fürstliche Gnaden sich Dero Würde also begeben wollten! Aber der Bischof schnitt finster jeden Widerspruch ab und befahl dem Mann zu gehorchen. Da schloss er auf, ging voran und leuchtete mit seiner Laterne durch die dunklen, feuchten Gänge einer Unterwelt, in der es stöhnte, wimmerte und stank. Die letzte Tür am Fuß der untersten Treppe schloss er endlich auf, leuchtete in das enge Gelass dahinter, trat mit erhobener Laterne beiseite und ließ den Herren den Vortritt. Der Diener Mathias blieb im Flur und betete laut und ängstlich.

Auf dem Stroh am Boden lag unter einem beschmutzten schwarzen Mantel ein menschlicher Körper. »He, du!«, rief der Schließer aus sicherem Abstand von der Tür her. »Wach auf! Hast hohen Besuch.« Es sei eben kein natürlicher Schlaf, in dem die da liege, erläuterte er, sondern ein vom Teufel verursachter, wie er die Hexen oft befalle. Mutig gemacht durch die Gegenwart des Herrn stieß er mit dem Stiefel nach dem nackten, mageren Fuß, der unter der

Decke hervorragte, packte ihn endlich und zerrte daran. »Aufwachen!« Plötzlich ließ er los und machte ein dummes Gesicht. Er riss den Mantel weg und drehte die Gestalt, die zusammengekrümmt auf der Seite lag, mit einem Ruck herum. Da sahen sie es: Sie war tot.

Der Schließer ließ sie erschrocken los und schlug das Kreuz, der Mathias betete lauter. Philipp Adolf biss sich in die Lippe und schien eher zornig als entsetzt. »Zeig das Gesicht!«, befahl er und rief seinen Diener: »Komm her und leuchte!« Mit zitternder Hand hielt der Alte die Laterne über die Leiche und wurde von seinem Herrn angefahren, er möge gefälligst still halten. Der Schließer aber, der so etwas mehr gewöhnt war, packte den Kopf der Toten an den grauen Haarsträhnen und hob ihn gegen das Licht, ein fahles, ausgemergeltes Gesicht mit hohlen Augen und Wangen, ein Totenantlitz ohne den Zug irgendeiner persönlichen Ähnlichkeit.

»Mathes!«, sagte der Bischof mit ganz fremder Stimme. »Guck nicht weg! Sieh sie dir an, genau! Kennst du die? Kennst du dies Weib? Hast du sie schon einmal gesehen?«

Der Diener wagte zitternd einen Blick, gehorchte, zwang sich genauer hinzusehen. »Nein«, stammelte er, »nein, ich kenn' sie nicht.«

Sein Herr hielt den Anblick länger aus. Endlich schüttelte er den Kopf, wandte sich ab und wischte die Stirn. »Nein, sie ist es nicht.«

Als er dies hörte, ging dem Kanzler Johannes Brandt mit einem Male der Sinn dieser ungewöhnlichen Unternehmung auf. Er hätte längst begriffen, wäre er eben nicht doch schon sehr alt gewesen und dazu, seit dem Hexenverhör am Morgen, zuinnerst verstört umhergegangen. In diesem Augenblick aber sah und hörte er so klar wie nur je, und was er wahrnahm, war vernichtend für alles, was er in seinem langen Leben in den Diensten dreier Bischöfe für rechtens gehalten hatte.

Der Schließer musste zwei Männer durch die Gänge der Alten Münze hinausgeleiten, die kaum im Stande waren sich aufrecht zu halten, gefolgt von dem Diener, der laut betete.

Das war das Ende des großen Hexenbrennens. Nach dem Dreikönigstag, bis zu dem von Weihnachten an alle gerichtliche Tätigkeit ruhte, wurden die Prozesse nicht wieder aufgenommen, zuerst nur vertagt, dann ganz eingestellt. Die letzte Hexe, die in der Stadt verbrannt wurde, war ein totes Bündel Knochen und Lumpen, das ein Knecht des Nachrichters in der dunklen Frühe des zweiten Morgens im Jahr hinaus vor das Stadttor karrte und ohne Aufsehen verbrannte.

Alle, die noch in den Gefängnissen lagen, wurden noch vor Lichtmess an unterschiedlichen Abenden in der Dämmerung freigelassen, ohne Ankündigung, ohne Spruch. Viele von ihnen irrten durch die Gassen und wussten nicht wohin, weil ihre Angehörigen tot oder fortgezogen, ihr Heim und Besitz verloren waren. Viele fanden die Gesundheit des Leibes und der Seele niemals wieder. Viele vermehrten nur die Schar der heimatlos Umhergetriebenen, die der Krieg über die Landstraßen jagte. Es gab manchen, der nicht sehr dankbar war für das wiedergeschenkte Leben.

Von Bischof Philipp Adolf hörte man nicht mehr viel. So rührig er sonst zum Nutzen des Stiftes gewesen war, so zurückgezogen lebte er jetzt, »geistlichen Übungen hingegeben«, wie es hieß. In Wahrheit beschäftigte ihn nur eine Frage, auf die er solange er noch zu leben hatte, die Antwort nicht finden konnte. Hatte die namenlose Hexe gelogen, wie konnten dann die vielen hundert Aussagen, die unter den gleichen Umständen gemacht waren und Todesurteile bewirkt hatten, noch für Wahrheit gelten? Hatte sie aber die Wahrheit gesprochen – wer treibt dann sein Spiel mit uns irrenden Menschen, dass wir des Teufels Werke tun ohne es zu wissen, im Glauben Gott zu dienen? Und das Mal auf seiner Schulter, der Kummer seiner Mutter und ihm selbst immer ein unheimliches Rätsel, war es wirklich ein Brandmal des Teufels, ohne dass er es je geahnt hatte?

Es ist nicht verbürgt, ob diese Zweifel so schwer waren, dass sie seine Lebenskraft erschütterten und seinen Tod herbeiführten, der unerwartet im folgenden Sommer eintrat. Die Ärzte befanden bei der Sektion der Leiche: »*als die Lunge meistenteils zerfahren, sieben Stein in der Leber und das Herz zu groß befunden, neben zweien beschwerlichen Brüchen und Leibschaden.*« Nicht in den Befund aufgenommen wurde etwas, das sie nur stumm einander wiesen: ein Mal auf der linken Schulter, schwarz und behaart, so groß wie eines Mannes Daumenabdruck. Es war wohl klüger, nicht davon zu reden und dem frommen Fürsten und eifrigen Hirten die Ruhe zu gönnen.

9

Der Ratsherr zum Stere hatte schon früh, noch im alten Jahr, von der Kanzlei vertrauliche Mitteilung erhalten, er möge ohne viel Aufsehen seine beiden Kinder aus dem Spital abholen, wo sie gefangen gehalten wurden. Er beeilte sich dem Rat zu folgen, fragte nichts und nahm in der Abenddämmerung des Tages der Unschuldigen Kindlein an der Almosenpforte des Spitals seine beiden Töchterchen in Empfang, wider seinen Willen unter Tränen. Sein Zorn war längst vergangen im Gram über seine Verlassenheit. Er konnte nicht einmal Nachforschungen anstellen nach dem Verbleib seiner Frau um sie nicht wegen ihrer Flucht in Verdacht zu bringen. Nur die Kinder waren ihm geblieben. Mit Hilfe der Magd, die ihn begleitet hatte, trug er sie in warme Decken gehüllt heim.

Sie waren ganz vergnügt, denn sie waren im Spital freundlich behandelt worden und noch nie im Leben mit so viel Kindern beisammen gewesen wie dort. Sie wurden nicht müde von ihnen zu erzählen und die Liedchen zu singen, die sie von ihnen gelernt hatten – von ein paar Gauklerkindern, die ihnen mit ihren Possen die Zeit vertrieben hatten, ehe sie, noch in letzter Stunde, den Weg zum Sanderanger hatten antreten müssen. Aber das wussten die kleinen Steres nicht.

Der Ratsherr hatte bei der Heimkehr Fragen und lautes Jammern nach Mutter und Brüderchen erwartet. Aber auch diese Sorge wurde von ihm genommen. Ein Bote aus dem entfernten Dorf, in dem die

Weinberghütte stand, erwartete ihn mit der Nachricht, dass seine Frau mit dem Söhnlein wohlbehalten auf dem Hof eines Bauern lebe und darum bitte, heimgeholt zu werden, sobald es dem Ratsherrn gut scheine.

Warum er denn die tröstliche Nachricht nicht längst gebracht habe, fuhr er, wiewohl trunken vor Freude, den Burschen an. Der wusste es nicht besser. Die alte Frau aus dem Weinberg habe es so bestimmt, sagte er. Nach Weihnachten erst, aber noch vor Neujahr, sollte dem Ratsherrn die Nachricht gebracht werden. Wo die Alte denn jetzt sei, fragte der zum Stere in der unbehaglichen Ahnung, dass er die Schwiegermutter nun wohl auch auf dem Halse haben werde. Aber der Bote wusste nur, dass sie zu einer langen Wallfahrt aufgebrochen sei. Mitten im Winter? Ja, fünf Tage vor Weihnachten. Der Ratsherr belohnte den Boten reichlich und machte sich gleich am nächsten Morgen mit ihm auf den Weg, zu Pferde, während er die Kutsche für Frau und Kind folgen ließ. Sie war zu langsam für seine Ungeduld. Am letzten Tag des Jahres führte er Jakobe und den Sohn wieder heim in sein Haus. Es war ein großer Freudentag für alle. Auch die alte Sterin schloss sich dabei nicht aus. Denn schließlich wäre es auch für das Haus keine Ehre gewesen, wenn es Teufelsbälger hervorgebracht hätte.

Jakobe aber war nicht so fröhlich, wie sie nach der Meinung aller hätte sein müssen. Schon auf der Heimfahrt hatte sie ihren Mann mit Fragen bestürmt, ob er nicht wisse, wo die Mutter geblieben sei. Hatte niemand sie hier in der Stadt gesehen?

Der Ratsherr, der in diesen Tagen Geduld gelernt hatte, bewies ihr immer von Neuem, dass die Doktorin Reutter, einmal aus der Stadt geflohen, nichts Dümmeres hätte tun können, als hierher zurückzukehren, wo jedermann sie kannte. Es habe sie auch niemand gesehen und wo und warum sollte sie sich versteckt halten? Jakobe konnte vor fließenden Tränen nicht antworten.

Später, als die Prozesse so plötzlich aufhörten, forschte ihr Mann heimlich nach der Ursache, aber auch er erfuhr nichts. Nur wenige wussten Bescheid und die schwiegen aus guten Gründen. In einer ungewissen Ahnung befragte Jakobe Augenzeugen nach der fremden Hexe ohne Namen. Aber was sie hörte, ließ sie wieder verzagen. Nein, so hatte die Mutter nicht ausgesehen, das konnte sie nicht gewesen sein. So verlor sich die letzte Erdenspur der Unbekannten in der Verwirrung von Gerüchten und Vermutungen – ganz wie sie es gewollt hatte.

10

Noch viele Jahre wartete Jakobe auf die Heimkehr der Mutter, horchte auf jedes unvermutete Klopfen an der Haustür und beschenkte jeden Bettler reich in der Hoffnung, es werde durch himmlische Vergeltung der Verschollenen zugute kommen. Eine Stube und ein frisch bezogenes Bett standen immer für sie bereit.

Inzwischen ging der Krieg weiter mit Brandschatzungen und Plünderungen, die erst jetzt das Land mit voller Schwere trafen. Wie viele andere verarmte auch der Ratsherr zum Stere und starb eines frühen Todes an einer der Seuchen, die niemand mehr mit Namen kannte oder zu bekämpfen vermochte. Bis zuletzt hatte er noch versucht das Haus des Schwiegervaters zu halten. Aber er hatte es schließlich verkaufen müssen, an den Malefizschreiber, der wie viele in ähnlichen Ämtern damals zu Vermögen kam. Jakobe behielt von allem Besitz nur das große Haus und brachte sich und ihre Kinder durch, indem sie die besten Stuben an vornehme Leute vermietete, an Geistliche und hohe Offiziere, auch an durchreisende Gesandte.

Eines Tages aber schien das Ende gekommen. Plündernde Soldaten hausten im Untergeschoss. Das Krachen aufgebrochener Türen und Schränke klang grässlich herauf in die Dachstube, wo Jakobe ihre Kinder zitternd umschlungen hielt, die beiden hübschen, fast erwachsenen Töchter und den jungen Sohn. Wenn ihr die drei nur blieben, die drei und das nackte Leben! Plötzlich wurde es unten still, so plötzlich still, dass die Lauschenden oben eher erschraken. Dann war eine Frauenstimme zu hören. Jakobe zuckte zusammen. Sie ließ die Kinder los und schlich zur Treppe. Unten im Flur stand ein rankes Weibsbild im Soldatenrock, Reiterstiefel unter dem aufgeschürzten Rock, einen Filz mit großer Feder auf kastanienroten Locken. Befehlend wies sie zur Haustür. »Lasst euch nicht wieder hier blicken, dies ist mein Quartier!«

Jakobe stockte der Atem beim Klang der Stimme.

Das Weib drehte den Kopf und spähte die Treppe hinauf. Jakobe glaubte die Mutter zu sehen, erkannte aber sogleich den Irrtum. »Sabine!«

Da flog die schlanke Gestalt die Stufen herauf, schleuderte den Hut fort und warf die Arme um sie. »Jakobe! Dass du noch lebst, wenigstens du!« Sie weinten beide und konnten lange kein Ende damit finden.

Dann saßen sie am warmen Ofen in einer der Dachkammern, die Jakobe noch bewohnte, vor einem Krug Wein, Brot und Schinken, die Sabine geholt hatte. »'s ist von meinem Eigenen, ihr könnt's ruhig nehmen. Ich bin Marketenderin.« Aber die jungen Steres, so ausgehungert sie waren, vergaßen fast das Zulangen über dem Anstarren dieser unvermuteten Tante, eines sonnenverbrannten, quicklebendigen Wesens, das ganz ohne Alter schien, die raue Sprache der Soldaten redete und von der Mutter doch so zärtlich umhalst wurde.

Später fragte Sabine: »Und die Eltern? In unserm Haus wohnen Fremde.« Jakobe berichtete das wenige, was sie wusste: Wie der Vater gleich nach der Flucht der Schwestern das Haus dem Ratsherrn verpfändet habe und mit der Mutter fortgezogen sei. Dass sie sich getrennt hatten und die Mutter nur eine Tagreise entfernt in der Weinberghütte der Muhme lebte – »Weißt du noch? Wir kamen niemals hin« –, das hatte Jakobe erst später von ihrem Mann erfahren. Sie hatte aber die Mutter niemals besuchen oder ihr Nachricht und irgendwelche Beihilfe schicken dürfen, um ihrer eigenen und ihrer aller Sicherheit willen, wie der Ratsherr gesagt hatte. Eines Tages war ihr dann diese Kenntnis des Zufluchtsorts zugute gekommen.

»Und der Vater?« Über ihn wusste Jakobe noch weniger. Ihr Mann hatte gemeint, der Doktor sei wohl unterwegs um sich an einer der großen Universitäten zu bewerben, wie es immer sein Wunsch gewesen war. In der Stadt hätte er doch nicht mehr bleiben können, nachdem seine Töchter in Hexenverdacht geraten und geflohen waren. Gehört hatte man nie wieder von ihm. Aber war das verwunderlich bei den Zeitläuften? Es konnte ihm inzwischen auch ganz gut gehen.

»Und die Mutter?«, fragte Sabine weiter. Jakobe erzählte von der Verhaftung der Kinder, von ihrer Flucht, von dem halb geträumten Gespräch mit der Mutter in der Weinberghütte und der rätselhaften Botschaft, die ihr der Bauer beim Erwachen ausgerichtet hatte: »Zu einer Wallfahrt aufgebrochen.« Seitdem hatte sie nichts mehr von der Mutter gehört. Jede Spur blieb verloren im Schnee jenes Winters.

»Glaubst du denn, sie lebt noch?«

»Wenn ich das nicht glaubte . . .«, Jakobe rang die Hände im Schoß. Es wäre so vieles gutzumachen gewesen! Sabine schwieg. Ihr bewegliches Gesicht ließ ahnen, was sie dachte. Als Jakobe dann von der wunderbaren Errettung ihrer Kinder erzählte und wie bald darauf ganz überraschend die Prozesse eingestellt worden seien, hob die Jüngere rasch mit aufglänzenden Augen den Kopf. »Sagtest du nicht, eine seltsame alte Frau sei kurz zuvor verhaftet worden und ihr Ende sei dunkel geblieben? Wenn nun die Mutter . . .«

»Ach, nein, das dachte ich auch zuerst. Aber sie war es nicht. Wir haben alle gefragt, die sie gesehen haben. Einer hätte sie doch wiedererkennen müssen.«

»Bist du so sicher? Ich muss immer denken, sie hat dabei die Hand im Spiel gehabt. Wie, wenn sie ihr Leben hingegeben hätte um dem Wahnsinn ein Ende zu bereiten?«

»Aber das hätte sie doch nicht nötig gehabt!«, rief Jakobe kindlich verwundert. »Sie hätte doch nur die Hand auszustrecken brauchen und einen Spruch zu sagen und alles wäre nach ihrem Willen gegangen.«

Sabine lachte auf. »Ach, du hast auch daran geglaubt? Sie hat ja ihr Leben lang auf ihre übernatürlichen Kräfte vertraut, sogar gemeint, sie könnte eine Hexe sein, wenn sie nur wollte. Auch mir hat sie's einzureden versucht: Weil ich die dritte bin, hätt' ich's geerbt von ihr und den Urahnen her. Fast hätt' ich's selbst geglaubt. Aber dann hab' ich's anders lernen müssen. Was mir geholfen hat, war einzig der Mut – ja, keine Furcht zu haben, vor nichts und niemandem – oder sie wenigstens nie zu zeigen. Damit bist du denen über, die welche haben, und das sind fast alle, ja, auch Soldaten. Die arme Katrin hatte auch keinen.«

»Die Katrin! Wie ist's der ergangen?«

Sabine erzählte kurz, mit rauer Stimme, wie widerwillig, von ihrer Flucht durch den Steinbruch und wie sie, kaum aus dem Walde heraus, mitten in ein Soldatenlager hineingeraten seien. »Es war nicht so schlimm, wie es hätte werden können, und jedenfalls besser, als dem Hexengericht ausgeliefert zu werden.

Das aber hätte uns in jedem Dorf gedroht. Wir hatten auch Glück, wir fanden jede einen leidlich braven Kerl, der zu uns hielt, und einen Platz im Tross. Aber die Katrin ertrug's nicht lange, nicht ihre verlorene Ehre, wie sie sagte, und nicht das unruhige Leben. Sie ist dann bald gestorben.«

»Und du, Sabine?«

»Mich hat meiner geheiratet, als er Korporal wurde. Er fiel bei Breitenfeld und mein Kind starb.« Die raue Stimme brach, Sabine wischte sich mit der Faust die Augen und setzte hinzu: »Verdammt noch mal! Wenn ich hexen könnte, glaubst du nicht, ich hätte mir das Leben schöner eingerichtet? Aber dass ich noch leb' und nicht ganz verkommen bin, siehst du, das verdank' ich einzig meinem Mut.«

»Und die Mutter, meinst du«, fragte Jakobe zweifelnd, »die hat auch nicht mehr gehabt als diesen Mut.«

»O doch!« Sabines Gesicht wurde weich, als sei sie noch das Rotköpfchen von einst, der Mutter Liebling. »Sie hatte viel mehr noch: Güte und Klugheit und großes Wissen, vor allem Macht über Menschen, mehr als andere, als ich. Aber zaubern konnte sie nicht und eine Hexe hätte sie niemals sein können. Denn das Böse war nicht in ihr.«

Jakobe aber empörte es geradezu, dass die Mutter nicht mehr vermocht haben, nicht mehr gewesen sein sollte als irgendeine andere Frau. Da legte Sabine ihre Hand auf die der Schwester und sagte: »Ist sie nicht auf diese Weise viel mehr gewesen, ganz ohne zauberische Macht, allein mit der Kraft ihres Herzens? Sie hat dir versprochen deine Kinder zu retten.

Glaubst du nicht, dass sie ihr Versprechen gehalten hat? Aber du solltest nicht danach forschen, wie.«

Sie schlief die Nacht in dem Bett, das immer noch, auch in den nun beengten Räumen, für die Mutter bereitstand. Aber Jakobes Bitte länger zu bleiben, ja, ganz und für immer, schlug sie ab. »Wenn das Regiment weiterzieht, morgen oder übermorgen, muss ich mit. Da ist mein Platz. Und wär's auch anders, diese Stadt erträg' ich nicht mehr.«

Am dritten Morgen marschierte das Regiment. Die Schwestern nahmen Abschied und ahnten, dass es wohl für immer sein werde. Gleich darauf erfuhr Jakobe den schwersten Schlag ihres Lebens, trotz allem, was sie schon durchgemacht hatte. Ihr Sohn, der Letzte zum Stere, knapp fünfzehn Jahre alt, teilte ihr mit, dass er sich habe anwerben lassen und mit dem Regiment ziehen werde. Die Mutter weinte und hielt ihm alles vor, was gegen ein solches Vorhaben sprach. Er sei doch immer ein gehorsamer Sohn gewesen, dazu ein guter Schüler, und die Ratsherrnwürde seines Vaters und Großvaters sei ihm jetzt schon sicher. Die einzige Stütze der Mutter und seiner armen Schwestern sei er. Auch hätte sie kein Geld ihm ein Offizierspatent zu kaufen. Wolle er denn seine ehrbare Herkunft und seine guten Gaben als gemeiner Soldat auf den Heerstraßen verschleißen?

Der Bub lachte nur und meinte zuversichtlich, ein gemeiner Soldat werde er nicht lange bleiben. »Wer Mut hat, dem stehen alle Wege offen, sagt die Sabine.«

»Wer?«, fragte die Mutter scharf.

»Ach, diese neue Muhme. Die ist ein Teufelsweib und wird mir schon weiterhelfen.«

Da schlug ihr Schmerz in Zorn um. »Das hat sie nur mir zum Tort getan und will mir noch einreden, sie könnte nicht hexen!«

11

Während seine Töchter noch für ihn hofften, hatte sich auch Sebastians Schicksal längst vollendet.

Jahre nach seinem Fortgang, als Bischof Philipp Adolf schon gestorben, sein Nachfolger geflüchtet und die Schweden Herr im Lande waren, fand ein Gastwirt eine gute Tagesreise ostwärts der Stadt und unweit des Dorfes, in dessen Weinbergen eine einst bewohnte Hütte langsam verfiel, in seiner Scheune einen alten Mann tot auf. Er hatte am Abend zuvor im Wirtshaus um ein Nachtquartier angesprochen. Der Wirt hatte es ihm verweigert, weil der Alte gar so armselig, zudem aber krank und fiebrig aussah. Wer zog sich gern eine Seuche ins Haus! Nun war er wohl draußen in die Scheune gekrochen und da in der kalten Herbstnacht erfroren, obgleich Laubstreu genug dalag, womit er sich hätte zudecken können. Aber dazu war er wohl zu matt gewesen oder eben zu krank. Jedenfalls konnte er da nicht liegen bleiben. Der Wirt bezwang seine Angst vor Seuchen, schlich näher heran und sah nun etwas, das ihn versöhnlicher stimmte gegen den ungelegenen Toten.

Schon am Abend vorher war ihm der schwere

Mantelsack aufgefallen, mit dem sich der Alte abgeschleppt hatte und dennoch vorgab weder Geld noch Geldeswert bei sich zu tragen. Nun sah er, dass der Tote mit Kopf und Armen darauf ruhte und mit wächsernen Händen noch die Tragriemen umklammert hielt wie ein kostbares Besitztum. Den Wirt durchfuhr es, dass hier vielleicht die Vergütung für ein christliches Begräbnis und noch etwas mehr zu holen sein könnte. Er brach die starren Finger auseinander, zerrte den Mantelsack unter dem Toten hervor und öffnete ihn gierig.

Er wurde enttäuscht. Nur Papier, lauter beschriebenes Papier quoll hervor, freilich mit großen Siegeln an seidenen Schnüren beschwert, also wahrscheinlich wichtig für irgendjemand – aber kein einziges Geldstück. Der Wirt wollte gerade alles in den Ranzen zurückstopfen, als ihm einfiel, auch solche Schriftstücke könnten vielleicht bares Geld bedeuten, wenn jemand sie zu lesen und richtig zu nutzen verstand.

Er schickte nach dem Pfarrer, einem noch jungen, schweigsamen und düsteren Menschen, erst seit wenigen Jahren der Gemeinde zugeteilt. Der gab Anweisung den Toten zum Friedhof zu schaffen und ein Grab für ihn auszuheben. Dann fing er an in den Papieren zu blättern und murmelte:

»Alles Latein, gelehrte Abhandlungen scheint's. Ladet das Zeug auf eine Schubkarre und fahrt es mir ins Haus! Verliert aber kein Blatt, hört Ihr?«

Die Augen des Wirtes blinzelten listig. »Ist's wichtig? Da könnten wohl wir beide profitieren?« Denn ihn plagte schon die Angst, der Pfarrer könnte allein den Gewinn einheimsen. Der aber lachte unfroh: »Profitieren? Seid zufrieden, Mann, wenn's Euch keinen Schaden bringt!«

In dieser Nacht sahen die Dörfler lange Licht brennen in der elenden Hütte, die ihr Pfarrhaus war. Der Pfarrer saß über dem Nachlass des unbekannten Toten und nahm sein halb vergessenes Latein zusammen um zu verstehen, was da an Gelehrsamkeit vor ihm ausgebreitet lag: Gutachten der Hochschulen zu Basel, Straßburg, Leiden, Briefe, unter denen berühmte Namen standen: Helmont, Kepler, Bernegger. Alle aber handelten von Hexen, genauer, waren gegen die Hexen und gegen die Prozesse gerichtet, mit denen man sie bekämpfte. Als dem Pfarrer das klar wurde, ging er zur Tür und prüfte, ob auch der Riegel vorgeschoben war, ehe er weiterlas. Er fand ein kaiserliches Siegel an einer Vollmacht, ausgestellt für einen Doctor medicinae Sebastian Reutter. War das am Ende der Tote da draußen im Beinhaus?

Der Pfarrer stützte den Kopf in die Hände. Zu spät, lieber Freund, dachte er. Ein paar Jahre früher hättest du Hunderte retten können, auch die Meinen, auch mich. Jetzt wärest du zu spät gekommen, auch wenn dir hier kein Halt geboten worden wäre. Der Bischof ist tot. Die Schweden haben überall die Hexenprozesse einstellen lassen – wenigstens *ein* Gutes, das sie gebracht haben! Wem soll nun all dies beschriebene Papier noch nützen? Im Gegenteil, wenn ich's in die Stadt schickte, nach seinen Hinterbliebenen forschen ließe, das würde nichts als Ärger geben, vielleicht neue Verfolgungen, denn wer weiß, wie lange die Schweden bleiben! Einmal bin ich entkommen, zum zweiten Mal darf ich's kaum hoffen. Da gibt's nur eins, Freund, so unrecht es sein mag.

Im Morgengrauen erhob sich der Pfarrer mit schweren Gliedern, raffte die Papiere zusammen, trug sie zum Herd und verbrannte sie Blatt um Blatt in der schnell angefachten Glut. Dabei fiel ihm ein, dass in der Stadt früher ein Doktor Reutter gelebt hatte, ein angesehener Mann mit einer glücklichen Familie, mit schönen Töchtern, wenn er sich recht erinnerte. Ob der wirklich der Tote da draußen war? Aber damals war auch er selbst ein anderer gewesen, ein hoffnungsvoller junger Vicar am Domstift, und hatte dennoch vor der Verdächtigung als Hexengenosse fliehen müssen. Wer würde ihn heute wiedererkennen? Er zerstampfte die Reste der Siegel mit dem Schürhaken in der Asche. Dann trug er ins Kirchenbuch für den heutigen Tag die Bestattung eines unbekannten Toten ein.

Die offene Frage

Wieder waren Jahre ins Land gegangen und der große Krieg war aus. In einem Saal auf der Burg, dessen Fenster hoch über Stadt und Strom ins Weite blickten, stand ein neuer Bischof, schon der zweite nach dem Hexenbischof, wie Philipp Adolf im Gedenken des Volkes genannt wurde. Dieser neue war ein kräftig gebauter, noch junger Herr, sonnenverbrannt und knebelbärtig, eher wie ein Reiteroffizier anzusehen, der er auch noch kürzlich gewesen war. Er blickte aus klaren, nüchternen Augen hinunter auf seine Stadt und die weithin ausgebreitete fruchtbare Landschaft in der strahlenden Helle eines Herbsttages. Hier aus der Höhe sah er nicht die Wunden, die der Krieg auch diesem Land geschlagen hatte, nicht die ausgebrannten Häuser, die wüst liegenden Äcker und Weinberge, nicht die Gesichter der Menschen. Aber er kannte das alles und es brannte ihm auf der Seele.

Und nun auch noch dies! Er hob wieder das Heft vor Augen, die Druckschrift, die ihm zugesandt worden war, nicht mehr als ein Flugblatt, *»mit Bewilligung des Bischofs und des ganzen Domkapitels in Druck gegeben«.* Das war noch mein Vorgänger, dachte er grimmig. Ich hätte niemals die Lizenz erteilt. Sehen sie denn nicht die Schande, für sich selbst, für unsern heiligen Glauben, für das ganze Zeitalter? Noch einmal fing er an zu lesen:

»KURZER UND WAHRHAFTIGER BERICHT UND ERSCHRECKLICHE NEUE ZEITUNG *von neunhundert Hexen, Zauberern und Teufelsbannern, welche der Bischof hat verbrennen lassen, und was sie in gütlicher und peinlicher Frag bekannt. Und haben etliche hundert Menschen durch ihre Teufelskunst um das Leben gebracht, auch die lieben Früchte auf dem Felde durch Reif und Frost verderbet, darunter nicht allein gemeine Personen, sondern etliche der vornehmen Herren, Doctores und Doctorsweiber, auch etliche Ratspersonen, alle hingerichtet und verbrannt worden. Welche so schreckliche Taten bekannt, dass nicht alles zu beschreiben ist, die sie mit ihrer Zauberei getrieben haben, werdet ihr hierinnen allen Bericht finden.«*

Unnötig weiter zu lesen! Der Bischof warf das Heft auf den Tisch. Immer der gleiche Wahnsinn und noch zwanzig Jahre danach drucken sie's, als wär's des Gedenkens würdig. Oder soll der Wahn von neuem geweckt werden? Gott steh mir bei das zu verhüten!

Er dachte an seinen verstorbenen Freund, den Pater Friedrich. Der wäre jetzt sein bester Helfer gewesen. »Warum sind Eure Haare so früh ergraut, ehrwürdiger Vater?«, hatte er als blutjunger Chorherr einmal seinen Lehrer gefragt und die Antwort erhalten: »Darum, weil ich so viele Hexen zum Scheiterhaufen geleitet und ihrer nicht eine schuldig befunden habe.« Diese Erkenntnis hatte dem Pater nichts genützt und auch den Hexen nicht. Er hatte sein Amt nicht weiter ausüben dürfen und sein Buch, sein Gewissensbuch, mit Herzblut geschrieben, war ohne sein Wissen in einer unbedeutenden kleinen Universitätsstadt anonym gedruckt worden. Es hatte trotzdem Aufsehen erregt, gewiss, aber was vermochte das geschriebene Wort gegen den tobenden Wahn auf der Straße und im Gerichtssaal! Ja, hätte ich dich jetzt zur Seite, mein Freund! Aber du hast es vorgezogen, 'dein unersetzliches Leben, jedem geistigen Wirken entsagend, für fremde Pestkranke hinzuopfern.

Nun, das Erreichte würdest du loben. Die neue Kirchenordnung für das Bistum enthält ein strenges Verbot jeglicher Hexenverfolgung durch Wort und Tat, auch des Schürens jeder Art von Aberglauben, sei es von der Kanzel oder im Beichtstuhl. Diese äußerst ärgerliche Druckschrift aber – er schleuderte sie beiseite – sollte alsbald eingezogen und ihr Vertrieb verboten werden. Das alles waren Anfänge, nicht mehr als erste Schritte. Aber das wachsende Licht der Erkenntnis musste doch einmal, vielleicht schon bald zum hellen Tag werden, Vernunft und Menschlichkeit die Finsternis besiegen.

Der Diener trat ein und meldete den Stadtschreiber Kilian Poscher, der zu Seinen Fürstlichen Gnaden bestellt sein wollte. Mit vielen Verbeugungen näherte sich ein kümmerliches Männchen, das alt wirkte, obgleich es kaum die Vierzig erreicht haben mochte. Dennoch war es einer der wohlhabendsten Bürger der Stadt. Durch eine vorteilhafte Heirat, noch mehr aber durch geschickte Käufe und Verkäufe von Häusern und Grundstücken, die während der großen Hexenprozesse billig zu haben gewesen, hatte der ehemalige Malefizschreiber sein Glück gemacht zu einer Zeit, als alteingesessene Bürger verarmt waren. Das ließ seinen Reichtum in einem schiefen Licht erscheinen. Zu gut wusste man, dass der Poscher seine Laufbahn als armer Waisenknabe begonnen hatte. Auch er vergaß das niemals. Sein unsicheres Auftreten verriet es auch jetzt.

Der Bischof fragte nicht unfreundlich, ob es an dem sei, dass der Poscher seinerzeit bei den Hexenprozessen als Malefizschreiber Dienst getan habe.

Der kleine Mann stutzte. Vorsichtig erwiderte er, für eine gewisse Zeit treffe das zu, wenn auch nur in sehr untergeordneter Position, eigentlich nur aushilfsweise und mit Widerwillen.

Der Bischof hatte sich schon genauer informiert und verbarg kaum das spöttische Zucken unter dem Bart. »Widerwillen hin oder her! Immerhin hat Er, wie ich berichtet bin, einen wesentlichen Teil der Protokolle geführt, der Handschrift nach fast alles, was dieser Band da, der letzte, enthält. Da wird Er mir doch wohl einige Fragen über den Inhalt beantworten können. Denn für einen Dummkopf halte ich Ihn keineswegs, Poscher.« Er blätterte ein wenig herum und fuhr fort: »Es betrifft das Ende dieser Protokolle und damit wohl auch das Ende der Prozesse, um Weihnachten 1629. Da ist manches äußerst rätselhaft. Nachdem bis zuletzt jedes Verhör fast übergenau aufgezeichnet worden ist – sehr saubere Arbeit, Poscher! –, bricht das Protokoll mitten in der Befragung einer Malefikantin ganz unvermittelt ab. Hier scheint sogar ein Blatt zu fehlen oder gar mehrere. Kann Er mir das nicht erklären, Poscher?«

Nein, antwortete der Stadtschreiber ohne Besinnen, das könne er durchaus nicht erklären. Nach so langer Zeit! Er habe keinerlei Erinnerungen an den

Vorgang und das könne ihm wohl niemand verdenken.

»Vielleicht hilft es Seinem Gedächtnis ein wenig auf«, versuchte es der Bischof geduldig weiter, »wenn er sich vergegenwärtigt, dass es eins der letzten Hexenverhöre gewesen sein muss. Man weiß, dass die Prozesse damals nach Weihnachten nicht wieder aufgenommen und noch vor Lichtmess 1630 ganz eingestellt worden sind. Vielleicht hat das abgebrochene Protokoll oder auch die verschwundenen Blätter etwas mit diesem plötzlichen Ende zu tun? Auch jene Frau, die Malefikantin, von der man kaum etwas aus den Akten erfährt, könnte von Bedeutung gewesen sein. Weiß Er nicht wenigstens ihren Namen?«

Aber der ehemalige Malefizschreiber hatte gar keine Lust über diese längst vergangenen Dinge auch noch nachzudenken. Noch bestimmter als vorher, in fast ungehörigem Ton, erklärte er nichts zu wissen, nie etwas gewusst zu haben und sich an nichts zu erinnern. Was war er denn schon gewesen? Ein unbedeutender kleiner Gehilfe, nicht mehr als die Schreibfeder der hochmögenden Verantwortlichen! An die sollten Fürstliche Gnaden sich halten.

Der Bischof zuckte die Achseln. Sollte dieser kleine Schreiber mehr Mut beweisen als andere, weit gewichtigere Männer, die er schon befragt hatte? Doch gab es noch einen Punkt, um dessentwillen der Bischof ein wenig mehr Hoffnung auf Kilian Poscher gesetzt hatte als auf manchen andern. »Nun gut«, sagte er, »genug davon! Menschliche Fähigkeiten haben ihre Grenzen. Doch ist mir zu Ohren gekommen, Er habe ganz insgeheim für sich selbst eine

Chronik über die Prozesse geführt. Vielleicht könnte dieses Schriftstück doch einigen Aufschluss geben über Dinge, die das amtliche Protokoll nicht enthält.«

Da erschrak der Kilian Poscher so sehr, dass er für einen Augenblick selbst dem Bischof Leid tat. Er wurde rot und blass, begann zu zittern, konnte nicht gleich reden und stotterte endlich hervor: »Wer das über mich verbreitet hat, der ist ein Verleumder. Nie hab' ich mich eines so vorwitzigen Werkes unterfangen. Hätt's auch gar nicht gekonnt, gänzlich ungelehrt und der Worte ungewandt, kann nur gerade das zu Papier bringen, was mir einer vorsagt.«

Der Verleumder, entgegnete der Bischof trocken, müsse er wohl selbst gewesen sein. Vor gar nicht so langer Zeit solle er sich beim Trunk eines solchen Werkes gerühmt haben.

Kilian Poscher sah leibhaftig Stock und Galgen vor Augen. Dass die anderen aber auch so genau hingehört und seine Worte weitergetragen hatten. Wenn er den erwischte, der den Spion gemacht hatte! Der Zorn gab ihm ein wenig von seiner Fassung zurück. Er schlug sich auf den Kopf und erinnerte sich mit einem Male, es könnte wohl die Rede gewesen sein von einem unvollkommenen, ganz und gar kindischen Versuch, den er im Anfang einmal unternommen, aber bald wieder aufgegeben habe – »ein gänzlich törichtes Gesudel, ich hab's längst verbrannt, wahrhaftig, Fürstliche Gnaden.«

»So!«, erwiderte der Bischof nur und nach einer beklemmend langen Weile: »Schade drum!« Sein Blick ruhte durchdringend auf dem immer noch zitternden Stadtschreiber. »Denk Er lieber noch einmal gut nach und durchsuch Er alle seine Kisten und Kasten! Mir wäre viel an einem solchen Dokument gelegen um der Wahrheit zu dienen. Es dürfte gern ein Stück Geld kosten.«

Stutzte der Schreiber? Es schien wohl nur so. Denn auf den nicht sehr gnädigen Wink der Entlassung verbeugte er sich hastig und hatte es eilig hinauszukommen. Draußen auf der Treppe zögerte er noch einmal. Nicht, dass es ihm ums Geld zu tun gewesen wäre! Die Zeiten waren gottlob vorbei, da er ein paar Gulden hätte nachrennen müssen. Aber Fürstliche Gnaden hatten zuletzt glaubhaft den Anschein erweckt, als sei es Ihnen wirklich allein um eine Information zu tun, ganz ohne Hintergedanken. Vielleicht wäre dies eine nicht wiederkehrende Gelegenheit gewesen sich höheren Ortes beliebt zu machen. Vielleicht – aber wer konnte es wissen! Nein, Vorsicht war besser. Kilian Poscher setzte den hohen Hut auf, stieg die Treppen gemessen hinunter und überquerte den Schlosshof, ein angesehener Bürger, der von einer Audienz bei Seinen Fürstlichen Gnaden kam, auf bescheidene Weise seiner Wichtigkeit bewusst.

Der Bischof blickte finster auf die Tür, die sich hinter dem Stadtschreiber geschlossen hatte. Was fragte er noch, wie diese Welle des Wahnsinns hatte über das Land hereinbrechen können! Dieser Schreiber da mit seinem Verhalten gab die ganze Antwort darauf: mitgemacht, als es befohlen wurde, allzu leichtgläubig, blind gehorsam, ohne auch nur einen Versuch der Besinnung – und als es vorbei war, beflissenes Vergessen und Verleugnen. Keiner, der jene Zeiten miterlebt, hatte je mit entscheidenden Dingen zu tun gehabt oder höchstens gezwungen und mit Widerwillen. Das war bei dem Poscher nicht anders als bei andern, bei Richtern, Konsulenten, Schöffen. Der neue Bischof hatte keine Mühe gescheut sie zu befragen, so viele von ihnen noch da waren. Denn nicht nur das Alter, auch Krieg und Seuchen hatten nur wenige übrig gelassen und diese wenigen hatten das Gedächtnis an gewisse drei Jahre ihres Lebens völlig verloren.

Einen hätte er lieber befragt als alle andern und von ihm wohl auch eine Antwort erhalten: jenen Hexenrichter, der als Einziger von allen sein Amt niedergelegt hatte und ins Kloster gegangen war, freilich erst, nachdem er eine grausame Lehre empfangen und die eigene Mutter hatte hinrichten sehen. Aber bei den Kapuzinern hatte man ihm nur sein Grab gezeigt. Bruder Hieronymus, einst Doktor Johannes Dürr genannt, war nach Jahren schwerer Buße noch jung verstorben. So musste wohl für immer darauf verzichtet werden, das Rätsel zu lösen, wie diese Prozesse so ungeheuer anwachsen und so plötzlich hatten aufhören können.

Der Bischof schüttelte das fruchtlose Grübeln ab und läutete nach seinem Sekretär. Denn obwohl die Sonne sich schon neigte und das Land in tieferem Gold erglühen ließ, war der Tag noch lang genug für die Arbeit, die mehr des nüchternen Sinnes eines Hausvaters bedurfte als der Grübelei. Aus den Weinbergen am Fuß des Schlossbergs klang der Gesang junger Stimmen. Die Nonnen der heiligen Ursula mit ihren Schülerinnen waren dort bei der Lese. Die klare Luft trug die Worte des Liedes herauf:

»Es ist ein Schnitter, heißt der Tod,
Hat G'walt vom großen Gott,
Heut wetzt er das Messer,
Es schneidt schon viel besser.
Bald wird er dreinschneiden,
Wir müssen's nur leiden.
Hüt dich, schön's Blümelein!«

Das Lied war während der Kriegsjahre aufgekommen. Es gab Leute genug, die es mit gutem Grund nicht mehr hören mochten. Heute aber, in der herbstlich sonnigen Stille, klang es versöhnlich, ein spätes Requiem für die vielen Hundert, die auf der andern Seite des Flusses, auf dem Sanderwasen den bitteren Tod gestorben waren. Ein scharfes Auge konnte noch die Spuren der Brandstellen im Wiesengrün erkennen.

»Trutz, Tod, komm her, ich fürcht' dich nit!
Trutz, komm und tu dein Schnitt!
Wenn d'Sichel mich letzet,
So werd' ich versetzet
In himmlischen Garten,
Darauf wir all warten.
Freu dich, schön's Blümelein!«

Der Sekretär wollte das Fenster schließen, aber der Bischof wehrte ab. Ihn störte das Singen nicht. Es war ihm ein freundliches Zeichen des wieder erwachenden Lebens, der Zuversicht und Freude im Volk, dessen Wunden zu heilen er sich zur Pflicht erkoren hatte – mochten die Lieder auch traurig klingen.

Als Stunden später der Sekretär wieder ging, den Arm voll erledigter Akten und diktierter Briefe, war es dunkel. Die Kerzen waren angezündet worden, die Fenster geschlossen. Aber noch immer war der Tag nicht zu Ende. Der Diener öffnete die Tür und ließ stumm, ohne Anmeldung, einen späten Gast herein. Der Bischof erhob sich rasch und straffte einen Augenblick den Rücken, ehe er sich höflich verneigte. »Ich habe Sie erwartet, Monsignore, wenn auch nicht so spät, nicht heute noch. Belieben Sie Platz zu nehmen!«

Der Eingetretene ließ sich in den Sessel nieder, den ihm der Diener zurechtrückte, ehe er lautlos verschwand. Der Schein der Kerzen reichte nicht dorthin, wo er saß. Aus dem Zwielicht kam die Stimme des Fremden: »So sind Fürstliche Gnaden vorbereitet und ich kann mir eine lange Einleitung sparen.«

»Vorbereitet hatte mich niemand. Aber ich musste wohl Ihren Besuch erwarten. Meine neue Kirchenordnung . . .«

»Sehr wohl, besonders gewisse Bestimmungen über das Hexenwesen könnten zu Missdeutungen Anlass geben.«

»Ich weiß, ich weiß das.«

»Fürstliche Gnaden verbieten die Verfolgung der Hexen. Soll das heißen, dass die höllische Macht geleugnet wird?«

»Wie könnte ich das wagen, Monsignore? Ich bin im Kriege gewesen, nicht als Priester, wie Sie wissen, sondern als Reiterobrist, mitten darin. Heimgekehrt, ist mir ein Land zur Heilung anvertraut worden, das fast zu Grunde gerichtet ist, nicht nur wirtschaftlich, sondern auch an Seele und Glauben seiner Menschen. Wie könnte ich daran zweifeln, dass höllische Mächte diejenigen lenkten, die das verschuldet haben!«

»Und doch wollen Fürstliche Gnaden nicht vor allem die verfolgen, deren Verbindung mit dem Teufel ganz offenbar ist?«

»Verfolgen wohl, wo es nötig scheint, aber anders, als es bisher geschehen ist. Sie wissen, was sich vor zwanzig Jahren hier begeben hat, und wenn Sie es nicht wissen sollten – da liegen die Akten, Ihrer Durchsicht empfohlen, und da liegt ein Flugblatt, erst kürzlich gedruckt, das jene Ereignisse heute noch rühmt. Neunhundert Gerichtete in drei Jahren, Monsignore! Das darf nicht wieder geschehen, das muss verhütet werden – jedenfalls solange ich Bischof bin. Mehr wage ich nicht zu hoffen.«

»Wie aber wollen Fürstliche Gnaden anders des Teufels Herr werden als mit den bewährten Mitteln der Justiz? Wollt Ihr die von Grund auf ändern?«

»Das käme mir wohl kaum zu. Jene grausamen Strafen haben ihren Zweck erfüllt in früheren, dunkleren Zeiten, als unsere heilige Kirche noch um ihren Bestand kämpfen musste. Die heutige Zeit, der wachsende Tag eines mündigen Menschengeistes bedarf so düsterer Fackeln nicht mehr.«

»Und sind Fürstliche Gnaden so sicher, dass dieser wachsende Tag, wie Sie ihn zu nennen belieben, solcher Feuerzeichen nicht mehr bedarf? Dass sie nicht einmal unter neuen Parolen wieder entflammt werden? Denn der menschliche Geist wandelt sich im Grunde nicht, was er auch an scheinbar neuen Gedanken hervortreiben mag.«

»So werden sich in künftigen Zeiten wieder Mutige finden die Feuerbrände auszutreten. Aber haben wir wirklich nicht schon jetzt Fortschritte gemacht? Denken Sie, Monsignore, an den kürzlich geschlossenen Frieden. Wir haben lernen müssen die Ketzer neben uns zu dulden. Wir werden auch noch lernen mit den Hexen zu leben und mit manchem andern, das wir heute noch nicht verstehen.«

»Wie vereinen Fürstliche Gnaden so weitgehende Duldsamkeit mit Dero geistlichem Amt?«

»Duldsam sein heißt noch nicht den Kampf aufgeben. Aber es muss ein Kampf der Geister sein, allein mit geistigen Waffen.«

»Das riecht verdächtig nach der modischen Philosophie aus Frankreich, Fürstliche Gnaden. Was ist denn Geistiges daran, wenn alte Weiber Hagelwetter machen oder Kühe verhexen?«

»Und was, vergeben Sie, geht solcher Köhlerglaube unsere heilige Kirche an?«

»Fürstliche Gnaden sollten nicht lästern.«

»Ich weiß, wovon ich rede, Monsignore. Ich bin in diesem Lande aufgewachsen, als es von Hexen wimmelte, und zum Heer gegangen, weil es da menschlicher zuging, wie mir schien. Wenn je bewiesen würde, dass solcherlei Schaden durch Menschen verursacht werden könnte, so wäre immer noch zu beweisen, dass der Teufel dahinter steckt, *zu beweisen*, Monsignore, nicht durch erfolterte Aussagen bis zum Wahnsinn wiederholen zu lassen. Aber so viel Mühe hat sich bisher noch keiner gegeben, kein Richter, kein Gelehrter, kein Kirchenfürst.«

»Fürstliche Gnaden setzen mich in Erstaunen,

wenn auch nicht so sehr, wie Sie vielleicht vermeinen. Es ist bekannt, dass auch der Heilige Vater die Auswüchse der Verfolgungen durchaus verurteilt. Wenn er nicht offen dagegen einschreitet, so einzig darum, weil es gefährlich ist an diese Fragen zu rühren. Man könnte leicht damit enden, sogar den Teufel selbst zu leugnen.«

»Den leugne ich keineswegs. Nur glaube ich nicht, dass er sich mit so billiger Beute zufrieden gibt, wie diese armen Weiber sind. Meinen Sie nicht, dass seine Macht viel feiner und viel, viel gefährlicher anderswo wirkt, allein in den menschlichen Seelen? Und dass er nur da bekämpft werden kann?«

»Und die Hexen?«

»Ich – möchte mich nicht vermessen zu behaupten, es gäbe sie oder gäbe sie nicht. Eins aber weiß ich: Unter den Neunhundert, die in diesem Lande verbrannt worden sind, ist nicht eine gewesen. Ich habe die Prozessakten gründlich studiert und keinen einzigen wirklichen Schuldbeweis gefunden. Dafür habe ich auch das Zeugnis eines mir hochverehrten Priesters, der Hunderten von ihnen die Beichte abgenommen hat und in die gleichen Zweifel verfallen ist wie ich. Nein, Monsignore, solange wir nicht mehr von diesen Dingen wissen . . .«

»So leugnen Sie sie doch?«

Der Bischof fühlte die Bedeutung der Frage. Er zögerte mit der Antwort – selbst er. Zu viel stand auf dem Spiel. Was wusste er denn wirklich? Was war nur Wunsch und Hoffnung? Er zuckte die Achseln und blieb stumm.

Gunter Preuß

Das Kind aus dem Brunnen

Überarbeitete
Neuausgabe
Gunter Preuß
*Das Kind aus
dem Brunnen*
Roman
184 Seiten,
ISBN 3-930777-55-X

Bernhard Teichmann und seine drei älteren Geschwister sind mit der Mutter aus dem bombardierten Leipzig auf den großelterlichen Bauernhof in das abgelegene Dorf Jöseritz geflohen. Packend schildert der Autor eine Kindheit in der ersten Nachkriegszeit, die Ohnmacht und Verzweiflung der Menschen und ihre ungestüme Sehnsucht nach einem neuen, besseren Leben ...